Marianna Freudenherz

Frühlingstrauben

Christlicher Roman

Marianna Freudenherz, 1955 in Freiburg geboren
pensionierte Lehrerin in Baden-Baden.
Gründerin des „Kulturensembles Baden-Baden“ KEBB 2011

Nach vier Kinderbüchern, vier Gedichtbänden und einigen religiösen Schriften erscheint nun ihr erster Roman: „Frühlingstrauben“.

Marianna Freudenherz

Frühlingstrauben

Christlicher Roman

Titelzeichnung: Edith Josefine Weishaupt

Covergestaltung: Olivia Emélie

FSC
www.fsc.org
MIX
Papier aus verantwortungsvollen Quellen
Paper from responsible sources
FSC® C105338

Bibliografische Information der Deutschen Nationalbibliothek: Die Deutsche Nationalbibliothek verzeichnet diese Publikation in der Deutschen Nationalbibliografie; detaillierte bibliografische Daten sind im Internet über http://dnb.dnb.de abrufbar.

Titelzeichnung: Edith Josefine Weishaupt

Covergestaltung: Olivia Emélie

Verlag: BoD · Books on Demand GmbH, Überseering 33, 22297 Hamburg, bod@bod.de

Druck: Libri Plureos GmbH, Friedensallee 273, 22763 Hamburg

ISBN: 978-3-8192-4532-9

Inhaltsverzeichnis

1. Hannas Tod

Nachdem Miriam Schuhmann auf dem Nachhauseweg Frau Sauters Nachricht auf dem Handy abgehört hatte, fuhr sie direkt in ihr Elternhaus nach Großhausen. Zitternd schloss sie die Haustüre auf und drehte den Lichtschalter an. Ihr Blick fiel auf das kleine Holzkreuz mit der Aufschrift: „Herr, segne dieses Haus und alle, die da gehen ein und aus.“ Sie durchquerte den Flur und sah ins Schlafzimmer ihrer Eltern. Auf einem Bett lag ordentlich eine grüngeblümte Tagesdecke, an deren Kopfende ein schwarzer Plüschpudel saß.

Ihre Mutter Hanna hatte ihn von einem Ausflug mitgebracht, weil ihr Mann Peter Hunde liebte. Doch sie wollte keine jahrelange Verantwortung für ein Tier übernehmen.

Vater war vor zwanzig Jahren an Bauchspeicheldrüsenkrebs gestorben, drei Jahre nach der Rente, auf die er sich so gefreut hatte.

Ihre Mutter litt sehr nach seinem Tod. Doch als überzeugte Christin sagte sie immer wieder: „Er hat es geschafft. Er ist jetzt im Reich Gottes und wartet dort auf mich.“

Sie war erst 62 Jahre gewesen, wollte aber trotz einiger Verehrer keine neue Beziehung eingehen. Sie gab ihre Arbeit als Krankenschwester auf. Hanna bezog auf dem Bauernhof ihres Sohnes Joachim noch ein Zimmer, obwohl sie nur zwei Kilometer entfernt wohnte. Begeistert

unterstützte sie ihre Schwiegertochter Margot bei der Erziehung der dreijährigen Zwillingsbuben und half in der Landwirtschaft mit. Als Nesthäkchen Elisa einige Jahre später das Licht der Welt erblickte, widmete sie sich wieder der neuen Oma-Rolle.
Auch in ihrem Heimatdorf Großhausen war sie zur Stelle, wenn sie in Nachbarschaft und Gemeindeleben gebraucht wurde. Ihre Devise hieß: „Das Leben ist endlich. Wir müssen das Beste daraus machen und für unsere Mitmenschen da sein."

Jetzt war das Bett der 82-jährigen Mutter leer, zerwühlt, etwas Blut auf dem Kopfkissen.
Miriam spürte Tränen auf den Wangen.
Es klopfte. „Ich habe Sie kommen hören, Frau Schuhmann." Die Nachbarin, Frau Sauter, nahm die weinende Miriam in den Arm. „Es tut mir furchtbar leid! Als ich Hanna zwei Tage nicht gesehen hatte und sie nicht auf mein Klingeln reagierte, ging ich heute Morgen mit dem hinterlegten Schlüssel in die Wohnung. Ich fand sie leblos im Bett und wählte den Notruf. Doktor Schneider stellte den Tod durch Herzversagen fest und veranlasste, dass sie abgeholt wurde. Sie ist wohl schon vorletzte Nacht gestorben. Auch die Polizei war da, um ein Verbrechen auszuschließen. Wir konnten Sie telefonisch nicht erreichen. Es tut mir so leid!"
„Ich..., ich hatte im Unterricht mein Handy ausgeschaltet und bei der Konferenz danach auch." Miriam wurde

von einem Heulkrampf geschüttelt. Ihr Handy vibrierte und sie sah eine SMS des Beerdigungsinstituts Kreuzer. „Ich soll vorbeikommen“, sagte sie mit tränenerstickter Stimme.
„Darf ich Sie begleiten?“, fragte Frau Sauter. „Ich kenne den Weg.“
Miriam nickte.
„Ich hole Sie in zehn Minuten ab und wir nehmen mein Auto.“
Miriam fühlte sich wie gelähmt. Sie war im entscheidenden Moment nicht bei ihrer Mutter gewesen. Eine Woche hatte sie sich nicht gemeldet, denn sie war mit Korrekturen und Notenberechnungen beschäftigt.

„Nächste Woche in den Osterferien habe ich Zeit“, versprach sie ihrer Mutter, die vor einigen Tagen bei ihr angerufen hatte. Doch nun war es zu spät.
Es läutete. Erich Himmel, Mutters Bruder, stand vor der Tür. „Nachdem ich dich zuhause nicht erreicht habe, dachte ich, dass du hier bist.“
„Ich bin eben gekommen. Ich war mit Frau Sauter beim Beerdigungsinstitut Kreuzer. Sie haben Mama schön hergerichtet. Sie wirkt ganz zart und scheint zu lächeln.“
„Mein herzliches Beileid, Liebes!“
„Doktor Schneider sagte, dass es ein schneller Tod war und sie sicher nicht viel gelitten hat.“ Miri schluchzte.
„Wir müssen den Schmerz zulassen, um später wieder

ins innere Gleichgewicht zu kommen.“
Das Haustelefon klingelte. „Ich geh schon. – Hallo, Joachim! ...Einen Nachtflug von Kreta wollt ihr nehmen?“
Miriam riss ihrem Onkel den Hörer aus der Hand. „Jogi, hast du die SMS bekommen? Es ist so furchtbar! Aber überstürzt jetzt nichts. Elisa hat sich so auf die Reise gefreut. Die Beerdigung ist erst in fünf Tagen. Ihre Stimme versagte. Erich griff nach dem Hörer. „Deine Schwester hat Recht. Ich bin da und werde sie bei allem unterstützen ...Ja, macht das. Miriam wird es verstehen.“
„Sie fliegen am Sonntagmorgen zurück.“ Er setzte sich zu ihr aufs Sofa.
„Du bist wie ein Vater für mich. Kannst du noch etwas bleiben? In einer Stunde kommt jemand vom Beerdigungsinstitut.“
„Natürlich! Solange du mich brauchst.“
Miriam holte eine Flasche Wasser und zwei Gläser und brachte dann das Adressbuch ihrer Mutter. „Lass uns gemeinsam durchschauen, wen wir noch persönlich benachrichtigen wollen. Vielleicht fallen dir Leute ein, die hier nicht stehen.“

Eine Stunde später kondolierte ihnen ein schwarz gekleideter Mitarbeiter des Beerdigungsinstituts Kreuzer mit ernster Miene.
Miriam holte Hannas grünes Lieblingskostüm aus dem Schrank. „Könnten Sie ihr das bitte noch anziehen?“

„Gerne!“, antwortete der Herr freundlich.
„Meine Mutter wünschte eine Beerdigung, keine Verbrennung.“
„Ihr Onkel hat es schon gesagt. Die meisten bevorzugen eine Urnenbeisetzung. Es ist eine saubere Sache, platzsparend und auch preisgünstiger.“
„Wir machen alles, wie Mama es wollte: Erdbestattung und Totenmesse.“
„Wollen Sie die Anzeige selbst entwerfen oder dürfen wir Ihnen behilflich sein?“
Erich schnäuzte in sein Taschentuch. „Miri, nimm die Hilfe an. Du kannst ja deine Wünsche äußern.“
„In Ordnung! Ich habe im Moment keine Kraft mehr.“
„Wollen Sie in der Anzeige ein Kreuz, ein Herz, einen Baum oder ein Foto der Verstorbenen? – Hier sehen Sie eine Auswahl.“
„Bitte dieses Kruzifix. Eichendorffs Zeilen sollen über den Lebensdaten stehen.
Und meine Seele spannte weit ihre Flügel aus, flog durch die stillen Lande, als flöge sie nach Haus.“
Es gab einiges zu klären: Den genauen Text der Zeitungsanzeige, auch die Sargauswahl mit der Innenausstattung, die Blumen, ein vergrößertes Bild der Mutter und die Musik bei der Beerdigung. Als der Bestatter nach über einer Stunde das Haus verließ, fühlte sich Miriam wie zerschlagen.
„Miri, es wird alles zu Hannas Zufriedenheit ablaufen. Wir sind streng katholisch erzogen worden. Als deine

Mutter einen evangelischen Mann heiratete, war das für beide Seiten ein Drama. Zum Glück sind alle über ihren Schatten gesprungen und es wurde Ökumene praktiziert."

„Richard und ich leben auch in einer Mischehe. – Seit Lenas Tod vor fünf Jahren bist du allein geblieben. Fühlst du dich nicht einsam?"

„Ich bin mit ihr noch seelisch verbunden, obwohl ich mit mancher agilen Witwe etwas unternehme. Mit meinen 85 Jahren kann ich mich zum Glück noch selbst versorgen."

Das Telefon läutete wieder und Erich nahm ab.

Miriam sah ihn fragend an.

„Es ist Gertrud Lauer, die Jugendfreundin deiner Mutter. Ich gebe sie dir."

„Seit du mich vorhin angerufen hast, bin ich untröstlich. Hanna war doch gar nicht krank, was ist denn passiert?"

„Es war wohl ein tödlicher Herzinfarkt."

Wie in Trance ließ Miriam Gertruds Redeschwall über sich ergehen. Sie erzählte vom letzten Kaffeekränzchen mit Hanna, den gemeinsamen Jugendjahren und berichtete auch über das Leben ihrer fünf Kinder. „Entschuldige, dass ich dich mit meinen Sachen belästige", sagte sie, als von der anderen Telefonseite keine Antwort kam. „Gehst du nun morgen mit mir zu Hanna? Ich komme mit dem Zug."

„Ich war vorhin bei Mama." Sie fühlte einen Kloß im Hals

und gab Erich den Hörer. Sie schloss die Badezimmertür und wusch sich mit kaltem Wasser das Gesicht. Endlich einige Minuten Ruhe! Wenn sie noch einmal zu ihrer toten Mutter ginge, wollte sie mit ihr alleine sein.
Erich blätterte in einem Album. „Ich gehe morgen Nachmittag mit Gertrud zu Hanna."
Miriam nickte erleichtert. Sie betrachtete das große Gemälde über dem Glasschrank im Wohnzimmer: ein lächelnder Engel mit einem goldglänzenden Heiligenschein. Ihre Mutter hatte es vor einigen Jahren von der Rastatter Künstlerin Christel Holl erworben.
„Schau, dieses kunstvolle Engelbild kannst du haben. Du bist ja so ein Frommer. Mama wäre es sicher recht."

„Danke, Miriam, ich nehme es gern. Soll ich dich heimbringen?"
„Nein, ich schlafe hier auf der Couch. Richard ist im Schullandheim und ich bin todmüde. Rektor Beile sagte, dass ich bis Mittwoch zu Hause bleiben kann. Tausend Dank für deine Hilfe! Komm gut nach Gottenheim zurück."
„Mein alter beiger Golf wird mich die fünfundvierzig Kilometer nach Hause bringen."
Miriam nahm eine Baumwolldecke und rollte sich auf dem Sofa zusammen. Sie hörte Erich telefonieren und kurz darauf spürte sie seine Hand auf der Schulter. „Barbara Schmitt kommt noch vorbei und will bei dir übernachten." Er legte die große Gäste-Matratze, die an

der Wand lehnte, neben das Sofa. „Ich warte auf sie.“
„Gib ihr den Hausschlüssel vom Schlüsselkasten. Bettwäsche liegt im Flurschrank.“
„Wir machen das schon. Versuch zu schlafen!“
„Ja! Der lange Schultag, Mamas Tod. Ich bin völlig fertig! Frau Sauters Tropfen aus dem Klosterladen scheinen jetzt zu wirken.“

Am nächsten Morgen stieg Miriam Kaffeeduft in die Nase. Die Matratze stand wieder an der Wand und das Bettzeug hing über einem Stuhl. Verschlafen und ungewaschen lief sie in die Küche, wo sie ein gedeckter Tisch und eine lächelnde Barbara empfing. Sie drückten sich lange.
„Setz dich und lass uns frühstücken! Alles andere hat Zeit.“
Bei Kaffee und frischen knusprigen Brötchen spürte Miriam großen Hunger. Gestern hatte ihr die Aufregung den Appetit verschlagen. Nach dem Frühstück berichtete sie über den Besuch des Bestatters. Ihre Freundin Barbara mit dem Spitznamen Babsy hörte ihr aufmerksam zu.
Vor fünf Jahren lernten sie sich auf einem Tanz-Wochenende kennen. Barbara hatte gerade eine Scheidung hinter sich. Jetzt war sie Mitglied bei den Altkatholiken geworden und schwärmte von ihrer lebendigen Glaubensgemeinschaft.
„Ich mache die Küche fertig und du gehst ins Bad. Dann

sitzen wir noch etwas zusammen, bevor du nach Hause fährst."

„Meine Eltern waren mein Zuhause!" Sie putzte geräuschvoll die Nase, stand auf und blickte noch einmal in das leere Schlafzimmer der Eltern. Über Vaters Bettseite hingen *die Betenden Hände von Albrecht Dürer*. Über dem Bett der Mutter leuchteten blaue Blüten. *Frühlingstrauben* stand darunter und in kleiner Schrift: *Die Zwiebelblumen heißen im Volksmund Traubenhyazinthen.*

Ihr Bruder Joachim fotografierte gerne Pflanzenmotive. Er hatte die Blumen in einem selbstgemachten Rahmen Mama zum 70. Geburtstag geschenkt.

Miriam wusste es noch genau. Er wollte sich nicht am Gutschein für die Schönheitsfarm beteiligen. „Mutter ist hübsch genug, sie braucht keine Kosmetik. Zudem habe ich schon ein Geschenk für sie", hatte er gesagt.

Joachim war vier Jahre jünger als Miriam, ein Alternativer sowohl im Aussehen als auch im Lebensstil. Man traf den 48-Jährigen immer in sportlicher Kleidung. Seine überschulterlangen blonden Haare mit grauen Strähnen trug er als Pferdeschwanz oder Dutt. Er wurde von seinen Freunden Jogi genannt. Seit Jahren praktizierte er Yoga und meditierte täglich unter einer Eiche im Garten. Halbtags arbeitete er als Gärtner, um seine fünfköpfige Familie zu versorgen. Sonst betrieb er Landwirtschaft aus Leidenschaft. Zusammen mit Margot und den

drei Kindern führte er in Freiau einen Bauernhof mit biologischen Produkten. Obwohl er nur Fleisch artgerechter Tierhaltung verkaufte, lebte er schon Jahrzehnte vegetarisch und seine 15-jährige Tochter Elisa folgte seit einem Jahr seinem Beispiel. Margot und die Zwillinge David und Daniel aßen viel Gemüse und Salat, aber auch gelegentlich Wurst und Fleisch.
Die übrig gebliebenen Waren lieferte er an die Tafel für Bedürftige. Sachen, die er nicht mehr benötigte, verschenkte er. „Edel sei der Mensch, hilfreich und gut", lautete sein Lebensmotto.
Miriam zog die zerknitterte Wäsche ab, legte die zweite grüngeblümte Tagesdecke aufs Bett und schloss leise die Schlafzimmertür.
„Miri, da kommt einiges auf dich zu."
„Ja! Zuerst die Beerdigung und dann die Hausräumung. Ich will an einigen Wochenenden Flohmarkt machen. Du kannst gern mithelfen."
„Ich bin dabei."

Miriam erreichte eine Viertelstunde später Heitersheim. Im Treppenhaus hörte sie das Telefon klingeln. Als sie zum Kabeltelefon eilte, war der Apparat verstummt. Sie überflog die Nummern des Anrufbeantworters.
Kurz darauf läutete es stürmisch. Sabine Braun, die Schwester ihres Mannes, stand vor der Tür. „Gott sei

Dank bist du da! Ich versuche schon seit zwanzig Minuten dich zu erreichen. Gehst du nicht mehr ans Telefon?“, fragte sie vorwurfsvoll.
„Ich komme eben erst heim. Ich habe mit Babsy in Großhausen übernachtet. Und mein Handy ist ausgeschaltet, ich brauchte etwas Ruhe.“
„Ist ja in Ordnung und nochmals herzliches Beileid!“ Sabine umarmte ihre Schwägerin und stieß dabei den runden goldüberzogenen Kleiderständer um. Sie hoben die Jacken und Taschen vom Boden auf und Sabine lächelte entschuldigend. „Mache ich dir noch Arbeit! Eigentlich wollte ich dich trösten. Doch als ich vorhin die Zeitung holte, ist mir die Tür zugeschlagen. Mein Handy habe ich in der Jackentasche. Aber ich komme nicht mehr ins Haus. Ihr habt doch einen Ersatzschlüssel.“
„Hier! Sei froh, dass ihr um die Ecke wohnt. Es ist ja nicht das erste Mal! Gib einen Schlüssel eurer Mieterin Frau Brunner und einen versteckst du im Blumenkasten auf der Terrasse.“
„Bernd ist das nicht Recht. Er hat Angst vor Dieben. – Ich muss wieder los! Nochmals herzlichen Dank. Wenn du mich brauchst, melde dich!“
Sie rannte die Treppe hinunter und Miriam hörte, wie der Schlüssel mit dem metallenen Herzanhänger auf den Boden schepperte. Er war ihr wohl aus der Hand gefallen. Ihre liebenswürdige, aber chaotische Schwägerin hatte sie schon oft zum Schmunzeln gebracht.

Die Anrufe kamen von Freunden, Verwandten und einer Lotterie, die ihr das große Geld versprach. Sie schaltete ihr Handy ein und las die Nachrichten auf WhatsApp. Richard kündigte abends seine Heimkehr an. Zum Einkaufen konnte sie sich nicht aufraffen. Sie würde ihm ein paar Spiegeleier braten. Die Zeit verging im Nu mit Telefonieren, Ausruhen und Fernsehen.

Als Richard einige Stunden später die Wohnungstür aufschloss, lief sie ihm entgegen.

„Moment, ich muss die Reisetasche und das Notebook abstellen." Dann drückte er sie fest. „Soweit alles in Ordnung?"

„Sabine hat sich heute Morgen wieder ausgesperrt." Miriam schlug vier Spiegeleier in die Pfanne.

„Meine zerstreute Schwester wird sich nie ändern." Er setzte sich an den gedeckten Tisch. „Wie geht es dir, wie war dein Tag heute?"

Bevor sie etwas erwidern konnte, sprach er weiter. „Der Tod deiner Mutter ist ein Schock für dich. Aber sie hatte bis zum Ende ein erfülltes Leben, war engagiert und beliebt. Es gibt sicher eine große Beerdigung, zu der die ganze Nachbarschaft kommen wird."

Miriam merkte, dass sie seinen Worten nicht mehr folgte. Warum hörte er ihr nicht zu oder nahm sie in den Arm?

„Sind die Eier fertig?", fragte er. „Hast du noch etwas Brot?"

„Sie brachte Eier und Toastbrot. „Wie war deine Klassenfahrt?"
Mit kauenden Wangen erzählte er ausführlich über die Woche im Donautal.
Miriams Gedanken schweiften ab zum totenblassen Gesicht ihrer Mutter.

Am Sonntag kam Joachim leicht gebräunt mit Margot und Elisa von Kreta zurück. Die 23-jährigen Söhne David und Daniel hatten auf dem Bauernhof in Freiau die Stellung gehalten. Sie versorgten die Hasen, Gänse, Hühner und die beiden Pferde.
Abends fuhr Joachim mit Miriam zur elterlichen Wohnung. Er betrachtete ein Foto auf der antiken Kommode im Gang. „Das war Mamas 60. Geburtstag. Sie war immer für uns da. Irgendwie bekam sie alles in die Reihe, auch als Papa krebskrank war."
„Und deine Frau konnte ihre Ausbildung als Industriekauffrau fertigmachen. Mit den Enkeln besuchte sie Spielplätze, Kindertheater und Museen. Nach Papas Tod fuhr sie mit ihnen in Urlaub. Sie liebte Kinder über alles!"
„Da hat sie in dir eine würdige Nachfolgerin gefunden!"
„Jogi, das ist doch kein Vergleich. Ich bin im Beruf und habe keine Kinder. Ich verstehe, dass Margot nur ein paar Jahre gearbeitet hat. Wenn ich neben Beruf und

Kindern noch Bäuerin wäre und Tiere versorgen müsste, wäre ich überfordert. Es ist bewundernswert, was sie alles leistet."

„Ich habe eine tüchtige Frau, die mir durch ihre Ausbildung auch bei der Buchhaltung hilft. Ihr tat der Kurzurlaub in Kreta gut. Doch sie ist sehr traurig über den Tod unserer Mutter." Er strich über Miris schulterlange Locken. „Kann ich dir noch etwas helfen?"

„Es ist alles geregelt. Wir sehen uns bei der Beerdigung."

„Morgen will ich mit Margot und den Kindern von Mama Abschied nehmen."

„Das finde ich gut. Manche Leute sagen, sie wollen den Verstorbenen lieber in Erinnerung behalten wie er war."

„Bei einem letzten Besuch wird uns die Endgültigkeit der Trennung bewusster. Und die liebevolle Erinnerung bleibt trotzdem."

„Mama war überzeugt, dass wir uns in einer anderen Dimension wiedersehen werden."

„Das glaube ich auch. Doch langsam müssen wir heimfahren. Meine Familie wartet auf mich."

„Kann ich diese Kommode für meine Schulfreundin Thea Sommer reservieren? Sie sucht schon lange so ein Möbelstück."

„Ist das die Sozialpädagogin, deren Mann Tierarzt ist?

Die habe ich neulich mit zwei Hunden in der Stadt gesehen."
„Sie und Jörg haben bewusst keine eigenen Haustiere. Thea kümmert sich um Tiere in der Nachbarschaft, wenn sie um Hilfe gebeten wird. Neben ihrem Beruf arbeitet sie noch ehrenamtlich im Frauenhaus."
„Eine engagierte Person! Eure Freundschaft hält schon Jahrzehnte. Gib ihr die Kommode! Ich brauche weder Möbel noch sonstigen Kram. Ich suche ein paar Andenken heraus, bevor der Ansturm beim Flohmarkt losgeht. Das Foto der Frühlingstrauben im Schlafzimmer möchte ich gern wieder. Ich habe es Mama zum 70. Geburtstag geschenkt."
Miriam hängte das Bild ab. „Nimm es gleich mit!"

2. Abschied

Die Beerdigung erfolgte bei herrlichem Sonnenschein. Während der Trauermesse flossen bei Miriam und Margot die Tränen. Elisa und Tamara schluchzten laut, als Pfarrer Stoll über Frau Schuhmanns Lebenslauf sprach. David las die Bibelstelle: *Alles hat seine Zeit aus dem Buch der Prediger im Alten Testament.* Der Kirchenchor aus Großhausen, in dem Hanna jahrelang Mitglied war, bereicherte den Gottesdienst. Beim Lied *Sancta Maria* wurde es Miriam feierlich zumute. So viele Leute erwiesen ihrer Mutter die letzte Ehre.
Während sich die Menschenschlange zum frisch ausgehobenen Grab bewegte, legte Richard seinen Arm um sie. Das tat ihr gut, denn sie fühlte sich plötzlich wie versteinert. Sie warf ihren Rosenstrauß auf den Sarg hinunter. Ein Gedankenblitz durchzuckte sie: in die kalte Erde springen und die Lappalien des Lebens hinter sich lassen! Doch sie segnete das Grab mit Weihwasser und streute einige Blumenblätter. Dann stellte sie sich zu ihrem Bruder und den Verwandten neben die Grabstätte. Sie schüttelte unzählige Hände und schmeckte bei manchen Umarmungen salzige Tränen. „Von Beileidsbekundungen bitten wir abzusehen“ war nicht in der Anzeige gestanden. Sie liebte wie ihre Mutter die Gesellschaft und wer ihr in dieser Stunde nahe sein wollte, konnte es tun.
Beim Abschied in der Leichenhalle spürte Miriam, dass

sie mit ihrer Mutter im Reinen war. Frühere Differenzen konnte sie loslassen. – Nun stand sie mit zweiundfünfzig Jahren in der vordersten Reihe.
„Erst, wenn man Kinder hat, erkennt man, was die Eltern für einen getan haben", sagte Gertrud neulich. Nach einigen erfolglosen Versuchen schwanger zu werden gaben Miriam und Richard den Kinderwunsch auf.

Tamara hatte ihr Abitur mit der Note eins abgeschlossen. Sie war die Tochter von Sabine und Bernd Braun, einem Kinderarzt. Sie wollte nicht Medizin oder Psychologie studieren, sondern wählte den Beruf der Gymnasiallehrerin für Englisch und Französisch. Doch nach zwei Auslandsemestern in England entdeckte sie den Studiengang ‚Künstlerisches Lehramt mit Bildender Kunst'. Für ihre Gemälde und Zeichnungen bekam sie schon in der Schule Preise. Ihre ersten Gedichte schrieb sie mit neun Jahren. Nach sechs Semestern an der Staatlichen Akademie schloss sie den Bachelor of Fine Arts mit der Note 2+ ab. Nach weiteren vier Semestern stand sie nun mit siebenundzwanzig Jahren vor der Prüfung zum Master of Education.
Miriam liebte ihr Patenkind über alles. Wie oft hatte sie die Kleine früher in den Ferien gehütet, wenn die Eltern allein verreisen wollten. Auch Jogis Kinder Elisa, Daniel

und David kamen gern zu Besuch. Als Lehrerin hatte sie immer Spiele, Basteleien und lustige Ideen parat.

Drei Tage nach der Beerdigung stand Tamara mit einer Aktenmappe vor der Tür. Ihr hüftlanges Haar war zu einem Pferdeschwanz gebunden. „Tantchen, ich wollte schauen, wie es dir geht."
„Das ist schön! Bist du auf dem Weg zur Akademie?"
„Nein, wir haben Semesterferien."
„Dann komm rein! Du weißt, dass du jederzeit willkommen bist."
„Ich bin froh, dass ich dich habe. Mit dir unterhalte ich mich lieber als mit Mama."
„Wobei du eine außergewöhnliche Mutter hast! Wer fängt als Bibliothekarin mit 46 Jahren noch ein Kunststudium an der Hochschule an?"
„Papa meinte, sie solle ihr Hobby ruhig ausleben. Sie könnte sich dann mit mir über mein Studium unterhalten."
„Zuerst war Sabine ja Gasthörerin. Dann wollte sie plötzlich ‚Freie Kunst' studieren und ein Diplom erwerben."
„Ihre Ausbildung umfasst Malerei, Grafik und Bildhauerei. Manchmal sehe ich sie bei Vorlesungen. Die wenigsten wissen, dass sie meine Mutter ist. Durch ihre schlanke Figur und die sportliche Kleidung wirkt sie jünger."
„Wahrscheinlich wärst du nie zur Kunst gekommen,

wenn sie dich als Kind nicht in Malkurse geschickt und in Museen geschleppt hätte."

„Dafür bin ich ihr dankbar, denn Kunst ist mein Leben geworden."

„Heute steht im Spruch-Kalender ein Zitat von Friedrich Schiller:

Alle Kunst ist der Freude gewidmet, und es gibt keine höhere und ernsthaftere Aufgabe, als die Menschen zu beglücken. – Hast du wieder neue Skizzen gemacht?"

Tamara öffnete ihre Mappe und zeigte einen Adler mit scharfem Blick, verschiedene Gebäude der Stadt und eine Prozession auf dem Friedhof.

„Ich habe eine Geschichte nach der Beerdigung geschrieben. Diese Idee spukt mir schon lange im Kopf herum. Doch sie fiel etwas anders aus, da ich beim Schreiben an Oma dachte."

„Liest du sie vor? Dann kann ich mich besser auf den Inhalt konzentrieren."

Der kleine Löwenzahn

Eine Löwenzahnfamilie bevölkerte die unbebaute Wiese neben einer Wohnsiedlung.

„Warum mögen uns die Leute nicht?", fragte ein kleines Löwenzahnkind traurig. „Gestern schrie ein Mann: Eine Schande ist das! Überall dummer Löwenzahn zwischen

meinen hübschen Gartenblumen. Er hat unzählige Verwandte herausgerissen und in einen braunen Sack geworfen."
„Weißt du, Kleiner", sagte seine Mutter. „Sterben müssen wir alle, aber ich wünsche mir, dass ich noch eine Pusteblume werden darf, die mit dem Wind in den Himmel fliegt und frei ist."
„Das will ich auch", rief der kleine Löwenzahn, „aber vorher möchte ich noch etwas erleben."
Da kam eine Schar fröhlicher Kinder angerannt. „Da hast du dein Abenteuer."
Plötzlich war großer Lärm und ein Fußball sauste über sie hinweg. Manche Blüten wurden umgeknickt und einige Blumen gepflückt.
„Reizend siehst du aus, Jutta", sagte ein Mädchen, während sie ihrer Freundin die gelben Blumen ins schwarze Haar steckte.
Der kleine Löwenzahn wollte nicht gepflückt werden und duckte sich.
Bald waren die Kinder mit ihren Fußbällen wieder verschwunden.

„Warum mögen uns viele Leute nicht?", fragte der kleine Löwenzahn noch einmal.
Sein Vater sah ihn ernst an. „Menschen haben eine bestimmte Vorstellung davon, was sie schön finden. Zum Beispiel eine Edelrose in ihrem Garten, ein buntes Tulpenbeet, weiße Margeriten und gelbe Narzissen. Wir

sind ihnen zu gewöhnlich und unbedeutend."
„Aber ich finde uns schön!", rief der kleine Löwenzahn zornig.
Seine Mutter lächelte. „Stell dir vor, ein Dichter namens Hermann Löns hat geschrieben, dass der Löwenzahn die allerschönste Blume sei."
Der kleine Löwenzahn strahlte über sein gelbes Gesicht.
„Man kann die Dinge im Leben verschieden sehen. Doch jedes Lebewesen hat seinen Wert und seine Bedeutung. Jeder sollte seine Aufgaben erfüllen, so gut er kann."
„Das will ich tun!", rief der kleine Löwenzahn.

Ein junges Pärchen schlenderte Arm in Arm über die Wiese. Das Mädchen schwärmte: „Das ist die zauberhafte Blumenwiese, von der ich dir erzählt habe."
„Ja, Jutta, die gelben Blumenköpfe glitzern wie kleine Sonnen. Doch du bist für mich die schönste Sonne", flüsterte er ihr zärtlich ins Ohr und küsste sie.
Der kleine Löwenzahn, der neben dem Mann im Grase stand, fühlte, wie sein Herz klopfte. Er erlebte gerade einen wunderbaren Augenblick. Ob das die Liebe war, von der man sich erzählte? Fest schmiegte er sich an seine Mutter. Und kurz darauf träumte er, dass er zu den Wolken am Himmel reiste.
Der kleine Löwenzahn war dankbar, weil er so viel erleben durfte. Er bemerkte, wie er reifer wurde und die gelben Blüten sich in weiße kleine Fallschirme verwandelten.

„Mama, schau die Pusteblume!“, rief ein Junge und rannte jauchzend auf ihn zu.
Er wehrte sich nicht, als die kleine Hand sich um ihn legte und ihn fest aus der Erde zog. Während das Kind ihn immer wieder anblies, begann er sich aufzulösen. Er fühlte sich ganz durchsichtig und ihm wurde leicht ums Herz.
„Bis bald!“, rief er den anderen zu, als seine Samen-Schirme der Sonne entgegenflogen.

„Das ist eine besondere Geschichte und würde Oma Hanna gut gefallen. Deshalb legen wir sie morgen in die Danksagungskarten.“
„Echt, Tantchen? Mein erstes Prosawerk! Wie viele Kopien soll ich ausdrucken?“
„Fünfundzwanzig Stück für Verwandte und Bekannte. Schreibe deinen Namen darunter.“
„Mach ich gern. Morgen Mittag hast du die Kopien. Ich helfe dir bei der Antwortpost.“
„Danke, meine Liebe. Doch jetzt muss ich noch Unterricht vorbereiten.“
Tamara gab ihr einen Abschiedskuss. Dabei ließ sie die Mappe fallen, aus der einige Zeichnungen herausfielen. Das Mädchen hatte Sabines Kunsttalent geerbt, aber auch eine gewisse Zerstreutheit.

3. Hausflohmarkt

In den Pfingstferien wollte Miriam mit der Räumung des Elternhauses beginnen. Es wurde ein erster Flohmarkt in Zeitung und Bekanntenkreis angekündigt. Richard wollte an diesem Wochenende einen internationalen Lehrerkongress in Berlin zum Thema: ‚Flüchtlingskinder und ihre Bildungschancen' besuchen. „Du hättest als Begleitperson mitgehen können", sagte er drei Tage vor der Reise.
Elisa, die von Daniel zu einem Kurzbesuch bei Miri abgesetzt worden war, mischte sich ein. „Vielleicht könntest du noch mitfahren? Wir Burger Kinder schaffen den Flohmarkt allein."
Miriam zögerte. Letzten Sommer fiel der Urlaub mit Richard aus Gesundheitsgründen ins Wasser und sie verbrachten immer weniger Zeit miteinander.
„Eine Kurzreise wäre mir lieber als der Flohmarkt. Ich denke, Jogis Kinder würden die Sache schon schaukeln."

Richard überlegte. „Ich habe ein Doppelzimmer als Einzelzimmer. Ich kann mal den Veranstalter anrufen." Sie hörte ihn im Arbeitszimmer telefonieren. „Du kannst noch mitkommen", sagte er wenige Minuten später. „Im Bus sind einige Plätze frei. Die Reise wird dich etwas ablenken. Für die mitgebrachten Partner gibt es eine Stadtrundfahrt."
Warum hat er mich nicht gefragt? dachte Miriam. Doch

sie schwieg, denn es gab zurzeit genügend Missverständnisse.
„Gut, Elisa, ich nehme euer Angebot an. Ich freue mich auf die Fahrt nach Berlin. Nächstes Wochenende veranstalte ich einen weiteren Flohmarkt mit Barbara und Tamara."

Burgers Kinder trafen sich am Samstagmorgen zum Frühstück im Haus der Großeltern. Die Kaffeemaschine war intakt und jeder hatte etwas mitgebracht.
„Oma fehlt mir sehr, sie war für mich wie eine zweite Mutter."
Daniel schaute traurig. „Ja Elisa, sie wird eine Lücke hinterlassen. Letztes Jahr habe ich nach ihrem Rat noch ein Apfelbäumchen gepflanzt, das ich hegen und pflegen werde. Und ich erinnere mich an viele Sprüche, die sie uns von klein auf beigebracht hat. Zum Beispiel:
Du schaffst das! ...Wie man in den Wald hineinruft, so schallt es zurück... Der frühe Vogel fängt den Wurm... Man muss immer wieder verzeihen können..."
David nickte. „Sie war eine herzensgute Frau! – Doch jetzt müssen wir an die Arbeit gehen, bevor um zehn Uhr hoffentlich erste Interessenten kommen."
„Auf dem leergeräumten Schlafzimmerschrank liegt noch einiges." David holte eine Leiter und warf Kartons aufs Bett hinunter. In den zugeklebten Schachteln fanden sie Pullover, Hemden und Anzüge, die etwas muffig rochen.

„Die sind wohl von Opa Peter und über zwanzig Jahre alt“, meinte Daniel. „Er war ja Abteilungsleiter in einer Kleiderfabrik.“
„Ich versuche Miri zu erreichen“, rief Elisa und verschwand in der Küche.

„Gut erhaltene Kleidung sollen wir auslüften und auf eine Decke legen. Manches hat Oma erst die letzten Jahre von der Firma erhalten, was sie nicht mehr brauchten. Die anderen Sachen kommen in die Altkleidersammlung. – Herzliche Grüße von Miri. Berlin sei eine Reise wert und sie nimmt gleich an einer Stadtführung teil.“
„Entspannung und etwas Zeit mit Richard wird ihr guttun. Doch nun sollten wir weitermachen“, mahnte David.
„Leute, es hat geklingelt.“ Daniel rannte zur Tür und begrüßte die erste Kundin, eine ältere Frau mit großer Umhängetasche. „Kommen Sie herein.“
Zahlreiche Besucher beschäftigten die Geschwister mit Beraten, Aufpassen, Kassieren und Einpacken der Waren. Die ganze Plattensammlung verkaufte Daniel für zwanzig Euro, was den Unmut seiner Schwester erregte.
„Durch Einzelverkauf hätten wir gut 100 Euro einnehmen können.“
„Reg dich nicht auf! Für den alten Wäscheschrank im Flur haben wir 60 Euro erhalten.“
„Die werden ihn restaurieren und teuer verkaufen“,

schimpfte Elisa.
David kassierte für ein Blumengemälde in verziertem Goldrahmen fünfzehn Euro.
„Ihr gebt alles zu billig ab."
Ihr Bruder sah sie erstaunt an. „Wir hätten auch ‚Hoffnung und Zukunft' anrufen können. Die räumen alles aus. Kümmere dich lieber um die Kasse, dass die Leute zahlen."

Elisa setzte sich an den kleinen Tisch in der Nähe der Haustür. Dort lagen eine Kasse, ein Taschenrechner und ein Korb mit Tüten und Papier.
Ein Rentnerpaar steuerte auf Elisa zu. Über den Arm des Mannes hingen zwei Anzüge. Die Frau hatte in ihre Tasche drei Hemden, viele Krawatten und einen Pullover gesteckt. „Was sollen die Sachen kosten? Sie sind aus der Mode, doch noch gut erhalten."
Elisa begann zu schwitzen. Sie hatte keine Ahnung, was sie für die Kleidung verlangen sollte.
David rief von oben: „Zehn Euro für das große Schachspiel mit den Holzfiguren."
Das Ehepaar sah sie fragend an. „25 Euro", bot die Frau.
„In Ordnung! Da haben Sie ein Schnäppchen gemacht."
„Deshalb sind wir auch hier." Sie bezahlte und zog ihren Mann zur Tür hinaus. Schon stand der Kunde mit dem Schachbrett vor ihr, dahinter eine Frau mit Tischdecken und ein junger Mann mit einer Tasche voll Gläser.

Als es ruhiger wurde, lief Elisa zu ihren Brüdern in den zweiten Stock. „Ich werde uns eine Kanne Kaffee kochen. Wer hat die Kasse im Auge?"
Daniel zählte in seiner dunkelroten Umhängetasche das Kleingeld. „Ich gehe hinunter. Oft kassieren wir gleich oben, wenn die Leute uns das Geld zustecken."
„Wir müssen darauf achten, dass sie überhaupt bezahlen, egal ob sofort oder unten an der Kasse."
„Wir sollten uns auf die Ehrlichkeit der Leute verlassen", sagte David.
In der Küche durchsuchte ein junges Pärchen die Besteckschubladen.
„Hallo!", grüßte Elisa freundlich. „Wollt ihr eine Tasse Kaffee?"
„Nein danke! Wir schauen noch nach Gläsern und Tassen."
Sie half ihnen das Geschirr in Zeitungspapier einzuwickeln und kassierte dreizehn Euro. Die jungen Leute verstauten alles in einer bunten Jutetasche.
„Ware ist bezahlt", rief sie Daniel zu. Sie legte Kekse auf einen Teller und stellte ihn mit zwei Tassen dampfendem Kaffee, Milch und Zucker auf ein Tablett. „David! Kannst du es mitnehmen? Irgendwo ist sicher ein Eckchen frei. Ich trinke schnell in der Küche und komme gleich wieder zur Kasse."
„In Ordnung! In zwei Stunden haben wir es geschafft."

Am Abend zählten die Geschwister 430 Euro und legten das Geld in den Nachttisch des Gästezimmers.
„Miriam sagte, die Einnahmen vom heutigen Verkauf seien für uns."
David, der mit dem Autoschlüssel winkte, schaute skeptisch. „Daniel, wir nehmen auf keinen Fall das Geld an uns. Ich weiß, du willst Klamotten kaufen, um deiner neuen Flamme Astrid zu gefallen. Doch wir sollten abwarten, wie Miri es verteilen will."

Zwei Tage später betrat Miriam mit einem Rucksack ihr Elternhaus. Sie nahm das Geld aus der Schublade. Es war leichtsinnig, es hierzulassen. Doch die heutige Jugend machte sich weniger Sorgen.
Heute wollte sie die Kommode im Gästezimmer durchstöbern. Sie enthielt alte Spielsachen, Fotos und frühere Liebesbriefe von Richard. Ein Zusammenleben vor der Ehe war in ihrem Elternhaus undenkbar. Sie öffnete die unterste Schublade mit dem kleinen Schlüssel, den sie am Schlüsselbund trug. Sie löste die Schnur eines Päckchens mit alten Tagebüchern. Neunzehn Jahre war sie alt, als sie diese Zeilen in das rote Buch mit goldenem Band schrieb:
Ich glaube an die Liebe, die auch den Tod überwindet…

In diesem Augenblick fühlte sie sich ihren Eltern ganz nahe. Als sie neulich zum Himmel schaute, glaubte sie Vaters lachendes Gesicht in den Wolken zu entdecken.

Sie nahm ein leeres Blatt aus der Schublade und begann zu schreiben:

Du bist für immer fortgegangen,
doch scheinst du näher als zuvor.
Wenn ich im Herzen bei dir bin,
dringt deine Stimme an mein Ohr.

Endet mein Lebenskampf im Tunnel,
begleite mich auf dem Weg zum Licht.
Voll Sehnsucht eile ich dir entgegen
und sehe wieder dein liebes Gesicht.

Miriam war überzeugt, dass sie ihre Eltern wiedersehen würde, dass das Leben nach dem Tod weiterging. Bewusst wählte sie neben Deutsch als zweites Studienfach Religion.
„Wir sind alle Kinder Gottes, haben nur eine Erde und sollten in Frieden zusammenleben“, hatte ihre Mutter gesagt und sie zu Toleranz erzogen. Obwohl sie als Krankenschwester viel Elend sah, verlor sie nie den Lebensmut. *Gib jedem Tag die Chance, der schönste deines Lebens zu werden* stand auf einem Schild in der Küche. Miriam packte einen hölzernen Kreisel in den Rucksack.

Es läutete. „Ich dachte, dass du hier bist. Störe ich?“, fragte ihre frühere Klassenkameradin Thea Sommer. „Nein, aber mit dir habe ich nicht gerechnet.“
„Ich brachte einer alten Dame in der Nähe ihre Katze

zurück. Sie konnte sie nicht rechtzeitig in der Praxis abholen. Da schau ich mal bei Miri vorbei“, dachte ich. Sie blickte neugierig auf das rote Tagebuch. „Schwelgst du in Erinnerungen? Ich weiß noch, wie du auf der Abi-Reise nach Paris reingeschrieben hast.“
„Es wühlt mich gerade etwas auf. Schau dich in der Wohnung um, ob du einiges brauchen kannst.“
„In Ordnung!“ Thea kam einige Zeit später mit einem Korb voller Geschirr aus der Küche. Sie streckte Miriam dreißig Euro entgegen. „Okay? Du willst den Erlös doch den Neffen und Nichten geben.“
„Ich habe die alte Kommode im Flur für dich reserviert.“
„Prima! Sie gefällt mir gut. Ich komme am Samstag mit dem VW-Bus der Nachbarin. Fünfzig Euro gebe ich dir auf jeden Fall dafür!“
„Wir werden sehen! Weißt du, ich möchte keiner Organisation Geld geben, damit sie in einem Tag ein ganzes Leben entsorgt. Ich will in Ruhe von meiner Kindheit und Jugend Abschied nehmen.“

Am Samstagmorgen frühstückte Miriam mit Barbara und Tamara in Burgers Küche. Außer dem Gästezimmer standen alle Räume für die Flohmarktbesucher von 9 bis 18 Uhr offen.
„Das neue Frühstücksservice mit Teekanne wäre etwas für dich, Tamy.“
„Unsere Schränke platzen aus allen Nähten und ich habe noch keine eigene Wohnung.“

„Dann wird es langsam Zeit!", bemerkte Barbara.
„Ich treffe mich öfters mit Marco Walter. Er ist der Sohn von Richards Freund Sven. Er fragte mich, ob ich mit ihm eine WG machen will. Wir mögen uns, aber ich möchte nichts überstürzen."
„Du kannst vorläufig Sachen zu uns in den Keller stellen."
„Sagt wegen Marco bitte nichts meinen Eltern."
„In Ordnung!" Miriam legte einen Hefter mit alphabetisch sortierten Rezepten in ihre Leinentasche. „Davon will ich etwas kochen! Da bin ich Mama sehr ähnlich. Sie sammelte unzählige Rezepte, die sie nie ausprobierte!"
„Ich bringe die Kochbücher zu den Kisten beim Eingang und setze mich an die Kasse."

„Moment, Tamy!", sagte Barbara. „Gestern ist bei uns in Schwarzach etwas Schreckliches passiert. An einer Baustellenausfahrt schoss ein Lastwagen rückwärts heraus und erfasste eine 32-jährige Fußgängerin. Sie starb im Krankenwagen. Ich kenne die Familie aus der Kirchen-Gemeinde. Die Frau hinterlässt einen Mann und ein fünf und sieben Jahre altes Mädchen. Vielleicht kann ich mich ab und zu um die Kinder kümmern."
Tamara schaute traurig. „Das Leben ist wie eine Hühnerleiter: kurz und beschissen! – Doch ich finde es toll, dass du helfen willst."
Miriam nickte. „Wie unsere Mutter! Sie sprach allen Mut zu; für jeden hatte sie ein Lächeln. – Mein Neffe

David will katholischer Priester werden."
„Ist für einen netten jungen Mann eigentlich schade!"
„Hauptsache, er ist glücklich! Die Ehe ist nicht immer die beste Alternative. Du hast es ja selbst erlebt."
„Jede zweite oder dritte Ehe geht schief. Aber es kann wieder ein neues Glück kommen."
„Na, etwas in Aussicht?"
„Ich habe einen sympathischen Witwer kennengelernt. Mal sehen, was die Zukunft bringt! – Wir sollten jetzt aufräumen, bevor die ersten Schnäppchenjäger kommen."
Schon läutete es. Zwei Burschen holten das Ehebett mit dem Schlafzimmerschrank ab. Es war in der Zeitung für 150 Euro angeboten. Als das Bett abgebaut wurde, kämpfte Miriam mit den Tränen. – Wie oft lag sie als Kind mit den Eltern darin. „Ich ziehe mich ins Gästezimmer zurück."
„Wir kommen klar und melden uns, wenn es Probleme gibt", sagte Tamara.
Im Wohnzimmer hörte Miriam laute Stimmen: „Ich bezahle 200 Euro für dieses Jugendstilsofa mit den beiden Sesseln."
„Dann nehmen Sie es mit. Es ist mir sowieso zu teuer."
Sie vernahm Barbaras beruhigende Stimme. Sie legte sich hin und spürte, wie ihre Augen zufielen.

Nach einer halben Stunde weckte sie Tamara. „Es geht um die indischen Teppiche!"

Verschlafen trat sie in den Flur und sah, wie einige Leute eifrig in den Sachen wühlten.
An der Kasse standen zwei Männer mit aufgerollten Teppichen. „Wieviel kosten?"
„Jeder Teppich kostet 200 Euro. Es ist ausgezeichnete Qualität."
„200 Euro zusammen", forderte der eine Mann. „Viel Geld." Schließlich gab sie den beiden die Teppiche für 250 Euro. Die letzten Stunden kamen wenig Interessenten.
Thea holte im VW-Bus mit ihrer Nachbarin Frau Perin das ausgewählte Schränkchen. „Schauen Sie sich um, ob Sie etwas gebrauchen können."
„Für den Schrank bekommst du jetzt die fünfzig Euro."
„Dann vielen Dank! – Frau Perin, die ausgesuchten Sachen schenke ich Ihnen."
„Leute, wir haben mit den Schlafzimmermöbeln, Sofa und Teppichen 1095 Euro eingenommen. Es gibt noch so viele Sachen hier. Ich werde einen dritten und letzten Flohmarkt übernächstes Wochenende machen. – Thea, möchtest du mir dann helfen?"
„Sehr gern. Jetzt wünsche ich dir noch einen erholsamen Abend!"
Barbara hatte zuhause eine Nudelsuppe gekocht, die sie sich zusammen schmecken ließen.

Richard kam gegen 19.30 Uhr von einer Radtour nach Hause. Sein Freund Sven stand ihm als Sportskamerad und auch als Psychologe mit Rat und Tat zur Seite.
Auf dem Wohnzimmerboden lagen neben dem Rucksack die Dinge, welche Miriam mitgenommen hatte. Sie las gerade in ihrem Tagebuch.
Richard blickte auf das Durcheinander. „Da hast du noch einiges zu tun, bevor übermorgen die Pfingstferien vorbei sind."
„Irgendwie kriege ich die Kurve nicht, mich auf die Schule vorzubereiten. Die Aufsätze der siebten Klasse und die Religionsarbeiten der Fünftklässler schaffe ich wohl nicht mehr."
„Die können warten!" Er schnappte die Tageszeitung und setzte sich ihr gegenüber auf den Sessel. „Wieviel habt ihr beim Flohmarkt eingenommen?"
„Etwa 1500 Euro an beiden Wochenenden zusammen!"
„Beachtlich! Du musst noch die Unkosten für den Sperrmüll und die Entrümpelung abziehen."
„Angemeldeter Sperrmüll kostet nichts. Ich plane einen letzten Flohmarkt. Würdest du mithelfen?"
„Nein, dafür sind deine Freundinnen besser geeignet."

„Jogi möchte nichts vom Erlös haben. Ich gebe den Nichten und Neffen den jetzigen Reingewinn. Sie können es alle gut gebrauchen."
„Wie bitte? Das haben sie doch gern gemacht!"
Sie wusste, dass es Richard nicht ums Finanzielle ging.

Sie verdienten gut und Joachim und sie erbten das Elternhaus. Miriam zermürbte es, dass er immer über alles diskutieren musste und möglichst Recht behalten wollte.
„Lass uns jetzt nicht streiten!“ Sie gab ihm einen Kuss. „Kann ich dir ein paar Stellen aus einem alten Tagebuch vorlesen, das ich im Gästezimmer gefunden habe?“
„Ehrlich gesagt, interessiert mich die Zeitung mehr. Und wie sieht es mit Abendessen aus?“
„Babsy brachte uns eine Nudelsuppe mit. Irgendwie ist die Zeit weggerannt und ich bin nicht einkaufen gegangen. Du wusstest auch, dass ich Flohmarkt mache.“
„Und die Radtour war schon lange geplant. Anstatt dieses Chaos auf dem Boden zu veranstalten und im Tagebuch zu lesen, hättest du eine Kleinigkeit besorgen können.“

„Ihr tragt seit Jahren Machtkämpfe aus!“, sagte Jogi neulich. „Das ist ungesund. Macht mal zusammen einen Yoga-Kurs oder eine Eheberatung.“
Doch es blieb nur bei Vorschlägen. Richard verbrachte seine Freizeit gern allein oder mit Radfahren, was er als wichtigen Ausgleich für den Lehrerberuf betrachtete. Sah Miriam Paare, die Arm in Arm spazierten, spürte sie etwas Neid. Sie schien sich von ihrem Mann immer weiter zu entfernen.
„Ich habe eine Idee. Ich lade dich in die Pizzeria ein, dort können wir gemütlich zusammensitzen.“

Widerwillig stand er auf, brummelte etwas von „in Ruhe Zeitung lesen“ und verschwand im Bad. Sie bestellte einen Tisch und nannte die gewünschten Pizzas.
Nach einem kurzen Spaziergang erreichten sie das Restaurant.
Miriam fühlte sich erschöpft, hörte Richard aber aufmerksam zu, als er von der Tagestour mit Sven erzählte. Dessen Sohn Marco war Musiklehrer am Gymnasium und gab an der Musikschule Klavier- und Gitarrenunterricht. Sie dachte daran, dass Tamara sich heimlich mit ihm traf.
Als Richard mit einem Kollegen per WhatsApp kommunizierte, schweiften Miriams Gedanken in die Vergangenheit ab.

An einem Sonntag, als sie sechzehn Jahre alt war, saß sie mit Jogi und den Eltern beim Mittagessen. Es gab Kartoffelsuppe und Apfelküchlein.
Ihre Mutter sah sie tadelnd an. „Edith Späth hat dich Hand in Hand mit einem Jungen in der Stadt gesehen.“
Sie war zusammengezuckt, als ob sie eine Ohrfeige bekommen hätte. „Mama, das war Olaf“, hatte sie gestammelt. „Wir haben zusammen den Tanzkurs gemacht. Ich habe ihn dir am Abschlussball vorgestellt.“
„Du kennst meine Meinung. In deinem Alter kann ich keine engen Freundschaften gutheißen.“
Der Vater fiel ihr ins Wort: „Er ist ein Nichtsnutz, der durchs Abitur gefallen ist!“

„Er will eine Ausbildung als Elektriker machen."

„Ein Lehrling mit neunzehn Jahren! Die wollen doch nur das eine! Ich möchte dich nicht mehr mit diesem Burschen sehen."

Mutter hatte sie von oben bis unten gemustert. „Wie du zurzeit rumläufst, diese Shorts und Miniröcke! Hast du keinen Anstand mehr?"

Joachim hatte vor sich hin gekichert und genussvoll auf einem Apfelküchlein rumgekaut.

„Bei der nächsten schlechten Note gibt es Hausarrest und Fernsehverbot."

„Sei nicht zu streng mit ihr, Peter!", versuchte Mutter wieder einzulenken.

Miriam erschrak, da eine Mathearbeit mit der Note fünf in der Schultasche lag. Vor Aufregung verschüttete sie etwas Suppe und blickte in Vaters wutverzerrtes Gesicht. Sie hatte einige seiner cholerischen Anfälle miterlebt. Die Angst schnürte ihre Kehle zu. Plötzlich rastete sie aus. Mit einem Ruck riss sie das Wachstuch vom Tisch. Die Suppe schwappte aus der Schüssel und den Tellern auf den Boden. Das zerbrochene Geschirr klirrte und übertönte das Entsetzensgeschrei der Eltern.

„Lasst mich endlich in Ruhe!", hatte sie gebrüllt. „Ich halte es hier nicht mehr aus, ich haue ab."

„Dann brauchst du nicht wiederzukommen", hörte sie den Vater rufen.

Wenige Minuten später erschien sie mit einem kleinen

Rucksack und ihrer Schultasche. Sie schnappte den Anorak und rannte wütend hinaus.
„Miri! Miri, bleib hier!", hatte Jogi ängstlich gerufen. Ihre verdutzten Eltern hielten sie nicht zurück. Sie putzten wortlos die Suppe auf und kehrten die Scherben vom Boden.

Richard sah seine Frau besorgt an. Er erzählte gerade, dass er mit dem Rad 900 Höhenmeter geschafft hatte. Miriam reagierte nicht, kein bewunderndes Nicken, kein Kommentar. Sie schien wie weggetreten. „Was ist denn los, geht es dir nicht gut?"
„Alles okay! Ich war in Gedanken plötzlich in meiner Jugend. Weißt du, die Sache mit dem Tischtuch, als ich durchdrehte und mich zwei Tage bei Olaf versteckte. Ganz idyllisch scheint meine Kindheit nicht gewesen zu sein."
Richard seufzte, da dies nicht sein Lieblingsthema war.
„Sie schickten mich zum Psychologen und ich sollte meine Träume aufschreiben. Auch meine Eltern mussten einige Stunden antanzen. Sie erkannten, dass sie an der ganzen Misere nicht unschuldig waren."
„Ich kenne diese Geschichte wirklich zur Genüge! Hoffentlich wirst du hier nicht das Tischtuch wegziehen und wieder in deine Vergangenheit abdriften. Seit Hannas Tod schwelgst du ständig in Erinnerungen."

Zuhause räumte Miriam die herumliegenden Sachen in ein freies Regalfach. Dann vertiefte sie sich wieder in ihr Tagebuch und fühlte sich von Richard spöttisch beobachtet.

„Wenn es nicht lange dauert, kannst du mir etwas vorlesen."

„Okay! Ich habe einige Zettel ins Tagebuch gelegt:

*Ich glaube an die große Liebe und lasse mir diesen Glauben nicht nehmen. Was wäre das Leben ohne die Liebe, ohne Zärtlichkeit und ein gegenseitiges Verstehen. Ich glaube an eine Liebe, so gewaltig, dass sie durch keine Mächte der Welt erschüttert werden kann. Liebe, die auch den Tod überwindet...*Das wirst du erst verstehen, wenn du einen geliebten Menschen verloren hast. Sei froh, dass deine Eltern noch leben."

„Wollen wir über meine Eltern diskutieren oder willst du etwas vorlesen?"

Miriam fuhr fort: *Die Gefühle werden ihren Höhepunkt erreichen, wenn mir der Mann begegnet, bei dem ich bleiben will und der bei mir bleiben will. Wir sollten uns aber nicht von Äußerlichkeiten betören lassen...*

„Auf deinen braungebrannten Muskelprotz Olaf bist du reingefallen."

„Ich dachte, wir wollen nicht diskutieren! – *Liebe bedeutet, für den anderen zu leben und für ihn zu sorgen. In einer liebevollen Gemeinschaft ist unsere trostlose Welt*

besser zu ertragen. Denn oft ist das Leben hart und grausam...“ Ihre Stimme wurde brüchig.
„Ich wundere mich nicht, dass du Deutschlehrerin geworden bist. Vielleicht solltest du wieder als Hobbyautorin arbeiten. Immerhin hast du schon Kinderbücher herausgebracht.“
„Es berührt mich, wie ich früher dachte, auch wenn manches naiv war.“
„Du hast heute noch eine rosarote Brille auf! Wegen deiner Vergangenheitsbewältigung solltest du einige Stunden zu Sven gehen. – Danke fürs Vorlesen deiner Jugendphantasien. Jetzt will ich noch einen englischen Film schauen!“
Miriam war etwas enttäuscht. Sie hätte gern mehr vorgelesen. Aber ihre Denkweise und ihre Wünsche interessierten Richard wenig. Erzählten Freundinnen, dass sie eine Kette von ihrem Mann bekommen hatten, von der sie schwärmten oder eine Musicalkarte erhielten, weil sie den Namen einmal erwähnt hatten, war dies für Miriam wie ein Märchen aus Tausend und einer Nacht. Berichtete sie Richard davon, fragte er nur: „Was hast du mir in letzter Zeit geschenkt?“ Doch an ihren Geschenken hatte er meist etwas auszusetzen gehabt. Viele Gutscheine von ihr lagen über ein Jahr in seiner Schublade, was sie sehr kränkte.
Sie legte sich mit der Zeitschrift *Sozialcourage* ins Bett und schaltete um 24 Uhr das Licht aus.

Aus Richards Arbeitszimmer ertönte noch Musik. Sie dachte an den Lehrerkongress in Berlin, wo sie mit Bus und Schiff die Stadt erkundet hatte. Sie bestaunte in der Gemäldegalerie die europäische Malerei des dreizehnten bis achtzehnten Jahrhunderts. Mit einer Dame besuchte sie das Pergamonmuseum, welches zum Weltkulturerbe der UNESCO gehörte.
Nach dem Abendessen trank sie mit Richard im Zimmer eine Flasche italienischen Rotwein. Im französischen Bett liebten sie sich und Miriam schlief glücklich in Richards Armen ein. Wieder gab sie ihm zu verstehen, dass sie sich nach mehr Zärtlichkeit sehnte. Doch kaum waren sie zuhause, schien die Nähe vergessen.

4. Aufregungen

Am ersten Schultag nach den Pfingstferien zeigten sich wenige Kinder motiviert.
Einige Siebtklässler maulten, weil sie die Aufsätze nicht zurückbekamen.
„Die Lehrer haben nur ihre Ferien im Kopf", sagte Klassensprecher Paul provokativ.
„Ich habe vor einigen Wochen meine Mutter verloren. Da hat man noch andere Verpflichtungen."
Einige Schüler liefen vor und gaben ihr die Hand. „Herzliches Beileid, Frau Schuhmann! Das wussten wir nicht."
„Meine Oma ist in den Ferien gestorben", sagte Annette traurig. „Aber ich fühle sie noch ganz nahe."
„Sie lebt nun bei Gott im Reich des Lichtes und des Friedens."
„Haben wir jetzt Religion oder was?"
„Paul, ein bisschen Einfühlungsvermögen könnte nicht schaden! – Petra und Sandra, was gibt es zu tuscheln?"
„Sandra hat in den Ferien einen feurigen Griechen kennengelernt."
Anton stand auf und ließ demonstrativ sein Becken kreisen.
Sandra, die errötet war, zischte ihm zu: „Blödmann!"
Miriam überlegte. Wie sollte sie reagieren? Ermahnen, strafen oder einfach ignorieren? Sie versuchte, ruhig zu bleiben.

„Setz dich Anton und Ruhe jetzt! Nehmt eure Deutschhefte! Ich diktiere Sätze zur das/dass Regel, die einige noch nicht verstanden haben:
Das Haus, das rot angestrichen ist, das ist das Rathaus. Dass das Gebäude modern ist, das sagen alle Leute."
Die Hälfte der Klasse schrieb alles richtig. Theresia wiederholte die Rechtschreibregel: „Wenn man dies, dieses, jenes oder welches einsetzen kann, dann schreibt man ‚das' nur mit einem s." Sie besprachen anschließend einen Lesebuchtext über ausgesetzte Tiere im Urlaub. Wer wollte, durfte etwas über sein Haustier erzählen. Nach dem Läuten trug Miriam das Stundenthema ins Klassenbuch.
Wenige Minuten später begrüßte sie im Nebengebäude die Fünftklässler, die sie in Religion und Deutsch unterrichtete.
„Guten Morgen, Frau Schuhmann!", grüßten die Kleinen höflich. Sie sangen zu Beginn das Loblied *Laudato si, o mio signore…,* welches bei allen Schülern sehr beliebt war.
Miriam gab die Religionsarbeiten zum Thema *Feste im Kirchenjahr* zurück, die sie noch am Sonntagabend korrigiert hatte. „Der Durchschnitt ist 2,0."
„Ich habe eine Eins mit Stern!", rief Inge laut.
„Streberin!", tönte es von einigen Seiten.

Richard hatte schon eine Konferenz, da er neben seinen Fächern Mathematik und Englisch auch Stundenplanmacher war.
Zuhause begann Miriam mit der Aufsatzkorrektur der Siebtklässler. Sie wollte die Hälfte der Unfallberichte im Erstdurchgang lesen und sie zunächst auf drei Stapel verteilen: gut, mittel und schlecht. Schon nach den ersten Aufsätzen war sie über die unzähligen Fehler entsetzt. Nachdem sie die Korrekturzeichen im ersten Klassendrittel angebracht hatte, machte sie eine Pause und las die Zeitung.
Barbara schickte eine WhatsApp, ob sie abends mit ihr in den Film *der Spitzname* ginge. Sie sagte zu und machte sich mit neuem Schwung an die Klassenarbeiten. Mit dem ersten Durchgang wurde sie fast fertig. Morgen könnte sie vielleicht schon die Noten machen.

Als sie nach dem Kino zurückkehrte, hörte sie Richard mit seiner Mutter telefonieren. „Mama, ich weiß, aber warum willst du es überstürzen?... Gut, ich werde mich umsehen." Kurz darauf kam er in die Küche, wo Miriam einen Joghurt aß. „Deine Mutter ist die gleiche Nachteule wie du!"
Richard polterte los: „Jetzt wollen meine Eltern in ein Heim für Betreutes Wohnen, besonders meine Mutter."
„Als Sabine vor drei Jahren euer Elternhaus übernahm, hast du ihnen eine seniorengerechte Wohnung besorgt. Aber die Demenz deines Vaters nimmt zu!"

„Es klappt doch gut mit der Sozialstation und fast täglich kommt einer von uns vorbei. Bis sie mit ihren Habseligkeiten umgezogen waren!"
„Barbaras Mutter lebt im Haus Birkenwald in Grünlingen, eine halbe Stunde entfernt. Ich war schon dort. Es ist ein helles, freundliches Heim mit einer Pflegestation."
„Ich erkundige mich irgendwann. Für heute reicht es mir, ich gehe schnurstracks ins Bett. Morgen komme ich wieder nicht zum Mittagessen, wir müssen beim Stundenplan weitermachen." Er gab ihr einen Gutenachtkuss. „Schlaf gut!"
„Du auch! Ich lese noch im Kurzgeschichtenband des neuen Stipendiaten."

Die 80-jährige Lydia Schuhmann hatte für sich und ihren 88-jährigen Mann Hans zwei Päckchen Kartoffelpuffer angebraten, die sie mit einem Glas Apfelmus servierte. Hans wollte Zucker in den Orangensaft rühren. „Liebling, der Saft ist süß genug, da braucht man keinen Zucker."
„Ja, Mama!"
Manchmal wusste Lydia nicht, ob er sie als Mama von Richard und Sabine ansprach oder ob er glaubte, dass sie seine Mutter wäre. Aber es war ihr egal. Hauptsache, sie hatten noch viele glückliche Momente miteinander.

Der Umzug in ein Heim mit betreutem Wohnen würde für sie mehr Freiheit bedeuten. Sie könnte ihn einige Stunden allein lassen, sich mit Freundinnen treffen, in Ruhe einkaufen oder auch an einer Busreise teilnehmen.

„Richard ist nicht begeistert, dass wir aus dieser Wohnung ausziehen wollen.“

„Möchten wir das? Es ist ganz gemütlich hier und wir bekommen viel Besuch.“

„Aber wir werden nicht jünger. Bei dir lässt das Gedächtnis nach und mir machen die Gelenke zu schaffen.“

„Du Arme!“ Er sah sie liebevoll an, stand auf, lief ins Wohnzimmer und legte sich aufs Sofa.

Lydia räumte das Geschirr in die Spülmaschine und setzte sich neben ihn auf den Sessel. „In einem Heim mit anderen Menschen kann es ganz nett sein. Die haben eine Kapelle, eine Bücherei, Spiel- und Musikabende und es gibt Ausflüge. Man braucht nicht zu kochen, sondern kann das Essen im Haus bestellen.“

„Früher hast du gern gekocht.“ Er schaltete den Fernseher ein.

„In einer Stunde kommt unsere Putzhilfe Alexandra. Sie hat ja einen Schlüssel. Ich will noch in die Stadt zur Volksbank fahren.“

„Ist in Ordnung.“ Er drückte die unterschiedlichen Programme durch. „Schön, hier ist etwas mit Tieren.“

Da es ein sonniger Nachmittag war, stieg Frau Schuhmann zwei Busstationen früher aus. Sie liebte es, durch den Stadtpark zu schlendern. Sie erfreute sich an den spielenden Kindern, an Hunden, die nach Stöckchen jagten und den bunten Blumen. Anlageberater Maier hatte ihr eine halbe Stunde vor Bankschließung einen Termin gegeben. Sie wollte sich einen Überblick über ihre Konten verschaffen.

In der Volksbank in Heitersheim sah Helga Winter, eine rotblonde junge Bankangestellte, auf die metallene Uhr an der weißgetünchten Wand. Der schwarze Zeiger schob sich mit leichtem Knacken langsam vorwärts. In einer halben Stunde konnte sie den Schalter schließen. Sie zupfte mit Daumen und Zeigefinger den Pony zurecht und überprüfte ihre weinrot lackierten Fingernägel. Nachher würde ihr neuer Freund Gerd sie abholen. Ihre Kundin füllte gerade ein Überweisungsformular aus, als eine andere Dame an den Schalter trat. „Guten Tag! Ich habe einen Termin bei Herrn Maier."
„Einen Moment bitte! Ich sage Bescheid."
Die Kundin gab ihr Formular ab und verabschiedete sich.
Als Frau Winter zum Hörer greifen wollte, drängte ein Mann Frau Schuhmann zur Seite. Sein pechschwarzes Haar und der ungepflegte Vollbart lenkten von seiner schmächtigen Statur ab.
„Passen Sie doch auf, junger Mann! Außerdem war ich

vor Ihnen da."
Frau Winter erblasste, als der Bärtige, der sich eine Maske übergezogen hatte, ihr einen Zettel in Großbuchstaben zuschob: ICH SCHIESSE SOFORT, WENN SIE ALARM GEBEN. ALLES GELD IN DIESE TASCHE! Er fuchtelte mit einer Pistole herum und hielt ihr eine schweinslederne Tasche unter die Nase. Sie konnte kaum einen klaren Gedanken fassen. Mit dem Fuß würde sie die Alarmanlage erreichen, aber jede falsche Bewegung könnte vielleicht den Bankräuber reizen. Herr Maier müsste den Vorfall im Büro mit der Kamera beobachten können.
Lydia Schuhmann erkannte jetzt die Gefahr und wollte zum Ausgang fliehen.
„Dageblieben Oma!" Er richtete die Pistole auf sie. Frau Schuhmann verspürte Todesangst und schlug die Hände vors Gesicht. „Haben Sie Erbarmen, ich habe niemand etwas Böses getan."
Nervös herrschte er Frau Winter an. „Wird es bald, Süße!"
Wie in Trance legte sie die Scheine in der Nähe des Schalters in seine Tasche.
Plötzlich stürzte Herr Maier aus dem Büro. „Stehenbleiben!"
Der Räuber eilte mit der Beute zum Ausgang. Der Abteilungsleiter folgte ihm und schrie noch einmal: „Stehenbleiben!"
Doch ein Komplize zerrte ihn auf ein Motorrad und sie

rasten davon.
Herr Maier kam mit einem Schild zurück, worauf in großen Buchstaben stand: BANK HEUTE FRÜHER GESCHLOSSEN – KEIN EINTRITT MEHR.
Frau Winter strich sich in Zeitlupe über die Haare. „Ich hatte mich gewundert, dass die Kunden zum Eingang hereinkamen, aber die Bank gleich wieder verließen. Das ist die Erklärung."
„Ich hoffe, die Polizei wird die zwei Räuber erwischen. – Wie geht es Ihnen, Frau Schuhmann? Ich werde gleich Dr. Hagios anrufen."

Als der Arzt mit einem Sanitäter ankam, zitterte Lydia wie Espenlaub und ihre Zähne schlugen aufeinander. „Die Dame hat einen ordentlichen Schock bekommen. Können wir sie irgendwo hinlegen?" Auf einem Sofa im Büro gab der Arzt ihr eine Beruhigungsspritze.
Nun kamen vier Polizisten hereingestürmt. Nach einer kurzen Absprache wurde die Fahndung eingeleitet. Zwei Beamte nahmen die Spur der Bankräuber auf und ein Polizist versuchte die Menschenmenge vor der Bank aufzulösen. Der vierte Beamte schrieb ein Protokoll. „Natürlich habe ich eine Kamera im Büro, wie sie auch im Kundenraum angebracht ist", erklärte Herr Maier. „Doch ich holte in dem Moment eine Akte aus dem Regal. Als ich die Situation erkannte, habe ich den Alarmknopf gedrückt."
Bankdirektor Schulte, der wegen einer Familienfeier die

Volksbank früher verlassen hatte, wurde informiert. Er traf ein und wandte sich besorgt Frau Schuhmann zu, deren Familie bei ihm Stammkunde war. Lydia fühlte sich durch die Beruhigungsspritze besser, das Zittern hatte aufgehört.

„Soll ich Ihren Sohn oder Ihre Tochter anrufen?"

„Sabine müsste zuhause sein." Sie nannte die Telefonnummer.

„Sie haben alles richtiggemacht. Immer zuerst das Leben eines Menschen schützen, das Geld ist zweitrangig", sagte der Direktor zu Frau Winter, die blass auf einem Stuhl saß.

„Helga, was ist passiert?" Ein junger Mann eilte auf sie zu. „Die Leute erzählen von einem Banküberfall und Geiseln. Ohne Ausweis wäre ich nicht reingekommen."

„Das ist mein Freund Gerd Zimmer und das ist Bankdirektor Schulte."

„Sorgen Sie dafür, dass Ihre Freundin heute Ruhe hat! Morgen erholen Sie sich von dem Schreck. Frau Winter, übermorgen sehen wir uns in alter Frische wieder."

„Vielen Dank, Herr Schulte."

Das Telefon des Polizisten klingelte. „Die beiden sind geschnappt!", rief er laut. „Sie wurden im Wald bei Großhausen aufgespürt. Sie wollten gerade in einen Lieferwagen umsteigen. Das gestohlene Geld ist sichergestellt." Helga fiel eine Riesenlast von den Schultern.

„Gott sei Dank!", raunte sie Gerd zu, als sie das Bankgebäude verließen.
Inzwischen war Sabine Braun eingetroffen. Doktor Hagios berichtete, dass ihre Mutter einen leichten Nervenzusammenbruch hatte, aber nicht stationär aufgenommen werden musste.
„Komm, Mama, es ist alles vorbei! Ich bringe dich nach Hause. Papa macht sich schon Sorgen."
Direktor Schulte verabschiedete sich mit Handschlag. „Richten Sie Ihrem Vater bitte Grüße aus. Es tut uns sehr leid, was passiert ist. Frau Schuhmann, Ihr Termin einschließlich Kaffee und Kuchen wird in den nächsten Tagen nachgeholt."

Hans Schuhmann saß mit einer Tasse Tee und einem Käsebrot in der Küche. „Wo bleibst du denn, Kleines? Alexandra ist schon längst gegangen."
„Ich habe einen Banküberfall erlebt!"
Er sah sie verständnislos an und meinte: „Wir können nachher einen Krimi schauen, wenn du willst. Vielleicht kommt ein Banküberfall."
„Mama wurde vorhin auf der Volksbank von einem Bankräuber mit der Pistole bedroht!"
„Das war sicher spannend. Möchtest du auch ein Käsebrot?"
Lydia, die keinen Appetit hatte, legte sich aufs Sofa. Als Hans später das Fernsehen anschaltete, verstand er nicht, warum sie die Schlagerparade und keinen Krimi

sehen wollte.
Sabine benachrichtigte ihren Mann. „Ich komme, sobald ich kann."
Als Bernd nach einer Dreiviertelstunde eintraf, saß seine Frau mit Richard und Miriam in der Küche. Sie hatte Getränke und Knabbereien hingerichtet. Er gab ihr einen Kuss.
„Mama hätte vor Schreck einen Herzinfarkt bekommen können."
„Auch manche junge Menschen reagieren in solchen Stress-Situationen mit Herzattacken. Eure Mutter ist für ihr Alter noch fit." Er biss in eine Käsestange.
„Sie will ins Betreute Wohnen, damit sie noch etwas vom Leben hat. Sie fühlt sich durch Papas zunehmende Demenz eingeschränkt."
Richard schlug vor: „Vater könnte allein in ein Heim gehen und Mama ihn dort besuchen. Was meinst du, Sabine?"
Seine Schwester betrachtete ein Kalenderblatt mit impressionistischer Landschaft über dem Küchentisch. Morgen Abend würde sie im Atelier von Frau Feurer arbeiten, die ihnen als Seminarleiterin zur Seite stand. „Pardon. Was hast du gesagt?"
„Papa könnte ohne Mama ins Heim gehen."
„Das will sie auf keinen Fall. Sie möchte nur mehr Freiraum haben. Ihr könnt sie selbst fragen."
Miriam schüttelte den Kopf. „Heute nicht mehr, da hat sie andere Sorgen."

„Zuerst müssen wir die Geldfrage klären“, forderte Richard.
„Unsere Mutter hatte heute auf der Bank einen Termin. Sie wollte über ihr Guthaben sprechen. Papas Vollmacht lag in der Tasche.“
„Das alles hinter unserem Rücken!“
„Lydia ist geschäftsfähig und nicht entmündigt“, sagte Bernd.
Die Unterhaltung begann sich im Kreis zu drehen. Sie schauten kurz nach Lydia und Hans, die händehaltend im Wohnzimmer saßen und verabschiedeten sich.

Miriam korrigierte die Aufsätze zu Ende und gab sie in der nächsten Deutschstunde den Siebtklässlern zurück.
„Die beiden besten Unfallberichte sind ...“
„Sicher wieder Theresia!“, rief Paul laut.
„Ja, sie ist sehr schreibbegabt. Doch die zweite Person ist Brigitte, die ihren bisher besten Aufsatz mit der Note 1,5 geschrieben hat.“
Die Schüler klatschten begeistert und Brigitte las aufgeregt ihre Arbeit vor.
„Wie ihr hört, können auch in einem Bericht treffende Adjektive und Verben den Inhalt aufwerten wie *schwerverletzt, gewalttätig, weinend, stammeln, protokollieren....* Macht bis morgen die Verbesserung!“ Einige Schüler jammerten, als sie die vielen rot angestrichenen

Fehler sahen.
„Jetzt bitte die Hefte weglegen! Wir beginnen mit der Lektüre von Judith Kerr: *Als Hitler das rosa Kaninchen stahl.* Sicher kennen einige von euch den Film."
„Können wir einmal etwas Spannendes lesen?", fragte Sandra.
„Am Jahresende habe ich in eurer Klasse einen Jugendkrimi geplant."
„Wird ein langweiliger Kinderkram sein", maulte Paul.

Zuhause fand Miriam in der Post Reklame, Bettelbriefe, aber auch einen persönlichen handgeschriebenen Brief einer Bekannten. Sie setzte sich zum Lesen auf die Terrasse und genoss die warmen Sonnenstrahlen nach einigen Regentagen.
In zwei Stunden hatte sie den ersten Termin bei einer Logopädin, da sie schnell heiser wurde. Letztes Jahr war sie drei Tage krankgeschrieben, weil sie kein Wort mehr herausbrachte. Ihren Kollegen Horst hatte Frau Hertel schon erfolgreich behandelt.
Als sie an der Praxis läutete, verwies sie eine freundliche Stimme in ein kleines Wartezimmer. Miriam las den Aushang auf einer Pinnwand:
Einladung zu einem regelmäßigen Stimmtraining für Schauspieler, Probe fürs Kindertheater Peterles Mondfahrt, Hilfe bei Sprach- und Sprechstörungen. Frau Hertel schien vielseitig zu sein, für Groß und Klein, für Schauspielerei und Kinderreim.

Kurz darauf folgte sie der Logopädin erwartungsvoll ins Behandlungszimmer. Ihr schwarzes Haar, das sie mit einem Haarreifen zurückhielt, fiel bis zur Taille des gemusterten Leinenkleides.
Nach einem kurzen Gespräch über die Ursache des Besuchs und dem Ausfüllen eines Fragebogens wurde Miriam aufgefordert, sich auf der blauen Matte auf dem Boden niederzulassen. „Legen Sie die Hände auf den Bauch und atmen Sie bewusst ein und aus. Beobachten Sie, wie der Leib sich hebt und senkt."
Die Ausatmung wurde durch Laute wie „ma, – da, – ha" unterstützt und konnte später im Stehen durch Bewegungen der Arme verstärkt werden. Miriam erfuhr, dass die Töne von den Stimmbändern hinunter zum Bauch geleitet werden müssen und der ganze Bauchraum vibrieren sollte. Sie erhielt den Tipp, nur beim Ausatmen zu sprechen und sich nicht zu räuspern. „Dabei prallen die Stimmlippen aufeinander und das schadet der Stimme, besonders, wenn man heiser ist. Besser ist ein kurzes Husten oder einen Schluck Wasser zu trinken."
Beeindruckt von den gelernten Übungen und Ratschlägen verließ Miriam die Logopädische Praxis und freute sich auf den nächsten Termin.

Nach dem gemeinsamen Abendessen verzog sich Richard in sein Arbeitszimmer.
Miriam las in der Lehrer-Zeitschrift und telefonierte später noch mit Barbara. Im Schlafzimmer lag Richard

erstaunlicherweise schon im Dunkeln, raunte ihr aber noch eine gute Nacht zu.
„Ich habe lange mit Babsy gesprochen. Die kleinen Mädchen, die jetzt ohne Mutter einschlafen müssen und nicht verstehen, warum sie nicht mehr zurückkommt. Es ist so schrecklich, wenn eine junge Frau so früh…“
„Miri, kannst du bitte einfach den Mund halten?“ Richard drehte sich auf die andere Seite und zog die Bettdecke über den Kopf.
Selten gab es Gelegenheit mit ihm über den Alltag zu sprechen. Die geplanten Austauschabende fielen meist ins Wasser. Sie fühlte Ärger in sich aufsteigen. Doch sie musste Rücksicht nehmen, er hatte einen anstrengenden Tag. Sie lief ins Wohnzimmer und nahm einen Gedichtband mit dem Titel *Liebesgedichte* aus dem Regal. Nie hatte sie mit Richard solche Innigkeit erlebt, wie es in diesen erotischen Gedichten beschrieben wurde. Oder vielleicht vor fast dreißig Jahren in der Phase der Verliebtheit?
Am Sonntag nach einer kleinen Wanderung hatte sie nach dem Duschen ihr rotgeblümtes Kleid angezogen und ihre Fingernägel rot lackiert. Aber er sah sie nicht an und sie bekam keines der ersehnten Komplimente. Er lobte nur ihren Salat mit den Putenstreifen.
Als er abends ihr zuliebe einen romantischen Film ansah, massierte sie ihm nach dem *Herzkino* Kopf und Nacken und küsste ihn stürmisch. Auf wunderbare Weise

nahm er jetzt Notiz von ihr. Es folgte ein kurzes Liebesspiel auf dem Sofa. Doch es gab keinen Kommentar zu ihrem Nagellack, ihrem Kleid und kein liebes Wort. War eine solche Beziehung nach vielen Ehejahren normal? Sollte sie öfters die Initiative ergreifen?

Miriam lud ihre Neffen und Nichten am Sonntag zum Kaffeetrinken ein. Mit den verkauften Möbeln hatten sie fast 1500 Euro eingenommen. Und da Schränkchen und Bett vom Gästezimmer für 100 Euro reserviert waren, zahlte Miriam jedem 400 Euro aus. Hocherfreut nahmen die jungen Leute das großzügige Taschengeld entgegen.

Wenn Miriam am Montagmorgen erst zur dritten Stunde Schule hatte, liebte sie es zu trödeln. Sie betrachtete ihr Gesicht im vergrößerten Badspiegel und entdeckte mit Schrecken winzige dunkle Haare im Kinnbereich. Bekam sie Anfang 50 schon einen Damenbart? Kleiner Flaum war nicht auffällig, aber dunkle Härchen mussten sofort ausgezupft werden. Barbara, die als Kosmetikerin arbeitete, hatte ihr das eingebläut. Nach der Schule würde sie einen Termin vereinbaren.
Beim Mittagessen erzählte Richard von seinen Mathe- und Englischstunden und dem bevorstehenden Abitur. Miriam klagte über Auseinandersetzungen mit Schülern und nachlassenden Leistungen. „Viele haben keinerlei Textverständnis mehr.“

„Meine Deutschkollegen jammern auch über katastrophale Rechtschreib- und Grammatikkenntnisse. Es wird heutzutage immer weniger gelesen."
„Ich habe auch zwei Bücher angefangen und ständig kommt etwas dazwischen. Aber regelmäßige Partnerabende sind mir wichtiger. Wollen wir uns am Wochenende Zeit füreinander nehmen? Spazierengehen, fernsehen, reden und kuscheln?"
„Mal sehen! Du hast ja auch immer zu tun", brummte Richard. „Und mit dem Haus seid ihr noch eine Weile beschäftigt."
Sie fuhr ihm über die blonden Stoppelhaare. „Du könntest mich dabei mehr unterstützen."
„Es geht doch mit deinen Leuten gut über die Bühne!"

Miriam schwieg enttäuscht. Meist fand er Ausreden, wenn sie ihn um etwas bat. Einmal dauerte es einen Monat, bis er ein Gemälde aufhängte, das im Wohnzimmer auf dem Boden stand. Sie stammte aus einer Familie, wo der Vater der Mutter half, wo er konnte. Sie musste nicht um jede Selbstverständlichkeit bitten. Richard wurde als Junge selten zur Mithilfe im Haushalt angehalten. „Früher wollten die Frauen die Männer nicht in die Küche lassen", sagte er, wenn sie ihn bat, einmal etwas zu kochen.
„Heim und Herd sind auch nicht meine Lebenserfüllung! Ich habe neben dem Beruf auch Hobbys und soziale Verpflichtungen."

„Was du freiwillig tust! Glaubst du, deine Neffen und Nichten werden es dir danken, wenn du immer wieder Zeit mit ihnen verbringst?"
Oft endeten solche Gespräche im Streit und jeder schob dem anderen den Schwarzen Peter zu.
Richard hatte wenig Verständnis für ihre Lebensphilosophie. Sie liebte die Geselligkeit, engagierte sich in Vereinen und war wie ihre Mutter Hanna sehr hilfsbereit. Ihre Freunde kamen gern ins Haus, auch wenn die Wohnung nicht wie bei anderen vor Sauberkeit glänzte. „Man darf sehen, dass hier jemand wohnt. Da mache ich lieber Krankenbesuche und es bleibt einiges liegen. So schlimm wie bei deiner Schwester sieht es hier nicht aus!"
Sven läutete und Richard lotste ihn gleich in sein Arbeitszimmer, wo er auf dem großen Monitor Fahrradtouren präsentierte.

Miriam räumte die Küche auf und trug den vollen Abfalleimer vors Haus. Dann rief sie Barbara an. „Hast du einen Termin für eine Gesichtsbehandlung? Heute habe ich im Spiegel dunkle Härchen entdeckt."
„Die sind mir beim Kinobesuch schon aufgefallen. Ich wollte es erwähnen, aber dann kamen wir auf deine Mutter zu sprechen. Machen wir mal eine Wachsbehandlung."
„Das ist im Gesicht sicher schmerzhaft! Ich bin in solchen Sachen eine Mimose."

„Wir besprechen alles in Ruhe, wenn du kommst. Morgen oder übermorgen um 16 Uhr hätte ich Zeit."
„Morgen habe ich nach dem Unterricht zwei Elterngespräche und muss noch einkaufen. Dann bis Mittwoch!"

Als Miriam zwei Tage später auf dem bequemen Kosmetikstuhl Platz nahm und in Liegeposition gebracht wurde, war ihr etwas mulmig zumute. Mindestens ein Jahr war sie nicht hier gewesen. Das Ausdrücken der kleinen Mitesser schmerzte. Sie erklärte sich bereit, die Prozedur des Haarentfernens mit Wachs auszuprobieren. Die heißen Wachsstreifen, die Babsy rund um den Mund auftrug, wurden schnell fest und dann mit einem Ruck abgezogen.
„Jetzt hast du eine Haut wie ein Babypopo! Und, wie war die Prozedur?"
„Nicht sehr angenehm, aber gut auszuhalten. Ich spüre nur ein leichtes Kribbeln."
„Alle zwei Monate solltest du am Kinn die Depilation mit Warmwachs machen. Dazwischen kannst du zupfen."
„Du hast es einfacher: 40 Jahr und blondes Haar!"
„Sei zufrieden! Du wirkst zehn Jahre jünger mit deinem fast faltenfreien Gesicht und der schlanken Figur. – Nun kommt der angenehme Teil der Behandlung mit Nährlotion, Maske und Gesichtsmassage."
„Ich werde es genießen!"

„Du weißt, dass ich vor drei Jahren eine Ausbildung als Entspannungstrainerin gemacht habe. Dieses Wochenende leite ich mit einem Kollegen einen Kurs auf der Insel Reichenau im Bodensee. Möchtest du mitkommen? Die Kosten für zwei Übernachtungen mit Vollpension und Kursgebühr betragen 300 Euro."
„Nicht gerade billig!"
„Das Finanzielle dürfte kein Problem sein. Ihr verdient gut und habt keine Kinder."
Barbara wirkte plötzlich traurig. Nach der Scheidung vor acht Jahren zog ihr Ex-Mann mit dem gemeinsamen Sohn Max nach Norddeutschland. Er fand bei den zukünftigen Schwiegereltern eine Anstellung als Betriebswirt. Max hing an seinem Vater und sie baute gerade ihr Kosmetikstudio auf. Schweren Herzens hatte sie ihn gehen lassen.
„Jetzt ist er schon siebzehn Jahre alt", sagte sie laut. Sie wusste, dass ihre Freundin sie verstand. „Er hat ein Schwesterchen bekommen, das er sehr liebt. Mehrmals die Woche haben wir WhatsApp-Kontakt."
„Trotz gutem Abitur hast du deinen Traum, Friseuse zu werden wahrgemacht, dich zur Kosmetikerin weitergebildet und dir eine tolle Existenz aufgebaut. Nun bist du auch noch Entspannungstrainerin."

Miriam genoss es, als die Freundin mit cremigen Händen über ihre Haut strich und sanft den Nacken massierte.

Barbara reichte ihr einen Spiegel. Ihr sah ein gerötetes Gesicht entgegen.
„Die Haut hat sich in einer Stunde erholt. Soll ich dir einen Abdeckpuder auftragen?"
„Ist vielleicht besser. Sonst fragt Richard, was ich angestellt habe!" Sie streckte Barbara fünfzig Euro hin. „Lass das. Ich mache es für dich umsonst!"
„Wenn wir uns zum Kaffeetrinken oder Essen einladen, ist es etwas Anderes. Das hier ist dein Beruf."
Barbara nahm das Geld entgegen. „Wenn du hoffentlich zum Kurs mitkommst, werde ich dir meinen Anteil erlassen. Mein Freund Alois Weber wird fahren."
„Ich will euch nicht stören."
„Blödsinn! Wir beide könnten hinten im Auto miteinander reden. Alois ist fünfundvierzig und hat vor zwei Jahren seine Frau durch Brustkrebs verloren."
„Das tut mir leid!" Miriam dachte mit Schrecken daran, dass sie dringend zur Mammografie gehen sollte.
„Ich gebe dir Bescheid, wenn ich mit Richard gesprochen habe."

Die Puderabdeckung hätte sie sich schenken können, denn er war nicht zuhause. Es lag ein Zettel auf dem Küchentisch: *Gehe noch mit Kollegen essen.*
Als er gegen eins ins Schlafzimmer schlich, lag sie noch wach. Er murmelte „Gute Nacht" und wenige Minuten später stimmte er sein Schnarch-Konzert an.
Richard befürwortete den Ausflug zur Insel Reichenau.

„Das wird dir guttun. Ich mache mit Sven eine größere Tour ins Elsass. Seine Frau besucht dieses Wochenende die Eltern."
„Carmen kümmert sich mehr um ihre Eltern als du!", bemerkte Miriam.

5. Entspannungszeit

Neben der Eingangstür des Bildungshauses hing ein Schild in bunten Lettern:

Heute ist der erste Tag vom Rest deines Lebens!

Nach dem Abend-Buffet trafen sich fünfzehn Teilnehmer im Begegnungsraum. In der Zimmermitte leuchtete eine brennende Kerze in einem bunten Blumenkranz. Darum gruppierten sich unterschiedliche Bildmotive mit Blumen, Landschaften und Menschen.

Barbara Schmitt und Rolf Fischer stellten sich der Gruppe vor und boten das Du an.

Babsy begann mit einer Übung zum Ankommen. „Wir setzen uns aufrecht hin und legen die Hände wie zwei Schalen ineinander. Atmet bewusst in den Bauch ein und aus. Alles Belastende lassen wir vorbeiziehen wie die Wolken am Himmel. Wir sind ruhig und entspannt…“

Miriam lauschte der wohlklingenden Stimme ihrer Freundin. „Nun atmen wir einige Male tief ein und aus, ballen die Hände zu Fäusten, öffnen sie wieder, strecken und dehnen uns.“

Man vernahm lautes Atmen, Gähnen und leichtes Lachen.

„Der Spruch: *Heute ist der erste Tag vom Rest deines Lebens* wird uns bei der Arbeit durchs Wochenende begleiten“, erklärte Rolf.

Dass im Freizeitbereich häufig von Arbeit gesprochen

wurde, störte Miriam. Sie wollte nur abschalten und entspannen. Auch in ihrer Gymnastikgruppe hieß es: „Wir arbeiten jetzt mit dem Bauch..., achtet auf die Beinarbeit!"
Rolf fuhr fort. „Bitte wählt eines der ausgelegten Bilder, das euch anspricht. Versucht einen Zusammenhang zum Kursmotto zu finden. Teilt uns eure Gedanken mit."

Miriam fing an, denn sie war als Lehrerin diese Praxis gewohnt. „Ich habe den Wasserfall gewählt, weil mich dieses Naturschauspiel fasziniert. Meinen Bezug zum Spruch sehe ich darin, dass man das Schöne genießen und sich nicht vom Alltag stressen lassen soll."
Einer nach dem anderen stellte sein Bild vor und manche sprachen über ihre Gefühle.
„Wir lassen die Aussagen des anderen stehen und tragen sie nicht nach außen", forderte Rolf. „In einer Viertelstunde und morgen um 7.45 Uhr treffen wir uns in der Kapelle. Doch alle Angebote sind freiwillig. Frühstück gibt es um acht Uhr. – Zur Entspannung kann man im Haus auch Massagen buchen. Hier für jeden einen Terminplan für das Wochenende!"

Das Morgenlob mit sanfter Flötenmusik einer Nonne und gemeinsamen Gebeten tat ihr gut. Nach dem reichlichen Frühstück hielt Rolf Fischer einen Vortrag zum Thema: ***Stress, die Geißel unserer Zeit***

„Das Wort Stress bedeutet Druck, Belastung und Überforderung. Man unterscheidet Eustress und den krankmachenden Distress. Bei diesem Dauerstress wächst uns alles über den Kopf. Der Körper reagiert negativ mit Bluthochdruck, Rückenschmerzen, Magenbeschwerden, Schlafstörungen... Über 500.000 Menschen in Deutschland sind von Psychopharmaka abhängig.
Das Gegenteil von Stress ist Gelassenheit, Entspannung von Leib und Seele. Der positive Eustress beinhaltet die tägliche Geschäftigkeit, die wir als Lebensmotor brauchen, die uns vorwärtsbringt..."
Miriam lauschte den verständlichen Worten und notierte Hilfen zur Stressbewältigung wie Entspannungsübungen, Meditieren, Singen, Tanzen, Freunde treffen...

In der Mittagspause leistete sie sich einen Massagetermin. Der ältere Masseur erspürte ihre Verspannungen in Hals, Schultern und Rücken.
„Ich arbeite an der Schmerzgrenze. Ist das in Ordnung?"
„Ja, ja!", antwortete Miriam. „Es ist genau richtig."
Sie schaffte es noch zu einer Tasse Kaffee mit kleinem Apfeltörtchen.
Einige Teilnehmer standen schon bereit für den Programmpunkt *Meditative Wanderung*.
Rolf erklärte: „Durch gemeinsame Nummern werden Paare gebildet. Siglinde kann wegen Beinbeschwerden nicht mitlaufen, so gibt es sieben Zweiergruppen. Geht hinter dem Haus die geteerte Straße hinauf! Es ist ein

Kreuzweg, der sich zu einer Marienkapelle hochschlängelt. Wir treffen uns in eineinhalb Stunden im Begegnungsraum."

Miriams Nummer 5-Partnerin war die 27-jährige Heidi. Mit Schreibblock, Kugelschreiber und Aufgabenblatt wurden sie als fünftes Paar losgeschickt. Zuerst sollten sie positive und unangenehme Geräusche wahrnehmen und notieren. ‚Vogelgezwitscher, Lachen, Glockenläuten und Blätterrascheln' schrieb Heidi auf, während Miriam lästige Geräusche wie ‚Autolärm, Motorsäge, Traktor und Krähen' vermerkte.

Sie ließen sich auf einer Bank nieder. „Teilt einander eure momentanen Gefühle mit", hieß die nächste Aufgabe. Nach Adjektiven wie ‚froh, entspannt, neugierig, müde' entwickelte sich ein Gespräch. Heidi erzählte über ihren Beruf als Goldschmiedin und Miriam von der Schule. Sie sah auf die Uhr. „Schon über eine halbe Stunde vorbei und wir haben noch drei Aufgaben. – Wir sollen nun in einer Skizze festhalten, was uns innerlich berührt."

Nach zehn Minuten zeigten sie einander ihre Bilder. Heidi hatte Bäume gemalt, auf denen bunt glänzende Steine funkelten.

„Da hast du wohl an deinen Beruf gedacht! Und ich habe meinen Bruder unter seinem Meditationsbaum gezeichnet."

Heidi las die letzten Anweisungen vor: „Entzündet in der Kapelle eine Kerze in einem persönlichen Anliegen.

Nehmt auf dem Rückweg die Schöpfung intensiv wahr! Berührt Bäume und Blätter, spürt das Gras und den Waldboden. Und bringt eine kleine Erinnerung mit."

Die beiden verabschiedeten sich mit einer innigen Umarmung. Miriam hielt einen rötlichen Stein in der Hand und Heidi einige Wiesenblumen. In der Großgruppe gab es einen kurzen Austausch und die mitgebrachten Kostbarkeiten wurden um den Blumenkranz gelegt. Barbara lud zu einem meditativen Tanz ein: *Weißt du, wo der Himmel ist.* – Miriam gefielen besonders die Wiegeschritte und Drehbewegungen.
Nach dem Abendessen bot Rolf einen weiteren Vortrag an:

Unser Umgang mit der Lebenszeit

„Wir müssen uns persönliche Zeitinseln gönnen und den Geist immer wieder ruhen lassen. Konzentriert euch eine Minute bewusst auf die Atmung."
Den meisten kam die kurze Zeit intensiv und lang vor. *„Viele Menschen fühlen sich ständig in Zeitnot. Ich denke, wenn wir einen 30-40 Stunden-Tag hätten, wäre er auch bald ausgefüllt. Ständiges Bemühen um Erfolg, Geld, Macht und geordnete Verhältnisse erzeugt Belastungen. Vertrödle keine Zeit, nutze den Tag! ...Diese positiven Gedanken können aber auch falsch ausgelegt*

werden. Packe den Tag so voll, damit du bloß nichts verpasst..."

Obwohl Miriam müde war, lauschte sie aufmerksam Rolfs Worten. Er beendete den einstündigen Vortrag mit den Zeilen von Andreas Gryphius:

Mein sind die Jahre nicht, die mir die Zeit genommen.
Mein sind die Jahre nicht, die etwa möchten kommen.
Der Augenblick ist mein und nehm ich den in acht.
So ist der mein, der Jahr und Ewigkeit gemacht.

Als der Wecker am Sonntagmorgen um 7.20 Uhr laut schrillte, hätte Miriam am liebsten die Bettdecke über die Ohren gezogen. Doch sie beeilte sich und betrat leise die Kapelle, als die ersten Töne der Flötenmusik erklangen.
Um neun Uhr bot Barbara eine Malmeditation an. „Ihr habt zwei Möglichkeiten, wie ihr arbeiten könnt."
Miriam versuchte das Wort ‚arbeiten' aus dem Kopf zu bekommen.
„Entweder zeichnet ihr in den vorgedruckten Kreis ein eigenes Mandala oder ihr malt eine fertige Mandala-Vorlage aus."

Nach einer Stunde kam Rolf mit seiner Gitarre und einigen Liedheften herein.
„Für den Abschlussgottesdienst brauchen wir sieben Helfer. Drei suchen Lieder aus, die wir gemeinsam üben,

zwei lesen Bibeltexte vor und zwei Leute formulieren Fürbitten.“ Schnell waren Freiwillige gefunden. Miriam, Heidi und Alois übernahmen die Auswahl der Lieder. Barbara versuchte gegen das Stimmengewirr anzukommen. „Um elf Uhr biete ich im Park Übungen aus dem Tai-Chi an. Sonst ist Freizeit bis zum Mittagessen.“
Nach dem Kaffeetrinken begann der Kreuzweg. Barbara und Alois lasen im Wechsel zu den Stationen passende Bibelstellen. An der Kapelle wurden sie von Rolf und Siglinde erwartet, die gerade Kerzen anzündeten.
Die an der Gitarre begleiteten Lieder wurden begeistert mitgesungen. Barbara gab jedem ein brennendes Teelicht in die Hand und zeigte ihnen einen Lichtertanz. Die Kerzen wurden um die Christusikone gestellt. Alle sangen: „Tragt in die Welt nun ein Licht.“ Dann legte jeder dem rechten Nachbarn die Hand auf den Kopf und sprach: „Der Segen Gottes sei mit dir.“
Von einigen Seiten hörte man verhaltenes Schluchzen. „Lasst es zu“, sagte Rolf. „Manche erleben gerade eine tiefe religiöse Erfahrung. – Geht schweigend zum Bildungshaus zurück. Wir treffen uns in einer guten halben Stunde zur Abschlussrunde.“

Rolf erinnerte an den Satz, mit dem sie am Freitag begrüßt wurden: *Heute ist der erste Tag vom Rest deines Lebens!*
„Lasst das Wochenende nachklingen! Versucht zuhause

eine der Entspannungsübungen regelmäßig durchzuführen. Hört meditative Musik oder malt ein Mandala."

Miriam teilte mit, dass sie am liebsten hierbleiben und sich den täglichen Pflichten entziehen würde. Viele waren vom Wortgottesdienst noch sehr berührt und nickten verständnisvoll.
Siglinde sagte: „Ich bin aus der Kirche ausgetreten, weil ich zu wenig christliche Menschen getroffen habe. Der Missbrauchsskandal gab mir den Rest."
Die geäußerten Gedanken sollten nicht kommentiert werden. Doch es war eine Betroffenheit nach den persönlichen Mitteilungen zu spüren.
Unter großem Beifall erhielten die Gruppenleiter eine Engelkarte von Christel Holl, auf der die Teilnehmer unterschrieben hatten.
Miriam drückte Heidi herzlich zum Abschied. Sie wollte nächstes Wochenende beim letzten Flohmarkt vorbeikommen.

„Ich bin froh, dass ich dabei war", sagte Miriam, als sie mit Babsy händchenhaltend auf dem Rücksitz saß. „Bei meiner Logopädin Frau Hertel lerne ich ähnliche Entspannungs- und Atemübungen, wie du sie gemacht hast."
„Nimm dir täglich eine Viertelstunde Zeit und übe beides hintereinander. Wichtig ist die ständige Wiederholung!"

„Wem sagst du das? Morgens bin ich zu müde und abends zu faul. – Was ist eigentlich mit den Mädchen aus Schwarzach, um die du dich kümmern wolltest? Hast du Kontakt aufgenommen?“
„Ich habe sie zuhause besucht. Ihr Vater ist einverstanden, dass ich ab und zu mit ihnen etwas unternehme. Am Mittwoch fahren wir zum Tierpark nach Großhausen. Magst du mitkommen?“
„Das lässt sich einrichten, es ist mein freier Schultag.“

6. Diskussionen

Aus ihrer Eigentumswohnung im ersten Stock schallte laute Musik. Richard genoss an seinem Monitor ein klassisches Konzert und verfolgte fasziniert die Bewegungen der attraktiven Dirigentin. Er erschrak, als Miriam ihn leicht an der Schulter berührte und „Hallo" sagte. „Die Musik hört man draußen vor der Haustür. Könntest du sie bitte leiser stellen?"
„Bringst du wieder schlechte Laune mit?"
„Nein, überhaupt nicht! – Du kannst in Ruhe das Konzert fertighören. Ich packe in der Zwischenzeit aus und richte uns ein Abendbrot."
Richard hatte Kopfhörer aufgezogen und die Musik war verstummt. „Was ist los", fragte er irritiert und nahm einen Hörer vom Ohr.
„Wollen wir in einer halben Stunde zusammen essen?"
„Okay!", murmelte er und setzte seinen Kopfhörer wieder auf.

Beim Abendessen erzählte Miriam begeistert vom Wochenende auf der Insel Reichenau. Sie war erstaunt, dass Richard länger zuhörte, ohne sie zu unterbrechen. Dann berichtete er von seiner anspruchsvollen Fahrradtour mit Sven und dem Besuch seiner Eltern.
„Am Mittwoch gehe ich mit Babsy und den Mädchen aus Schwarzach in den Tierpark. Am Wochenende veranstalten wir den letzten Hausflohmarkt."

„Hauptsache, es wird dir nicht langweilig! – Jetzt will ich mich wieder der klassischen Musik zuwenden. Sie hat auf mich beruhigende Wirkung."
Jedem das Seine, dachte Miriam. Sie küssten sich flüchtig. Ihre Körperlichkeit beschränkte sich meistens auf einen kurzen zärtlichen Austausch oder Händchenhalten, wenn sie einmal gemeinsam schlafen gingen. Miriam hatte das Thema ‚Sexualität' oft angesprochen und dazu Tipps für Paare aus Zeitschriften vorgelesen. Es interessierte ihn nicht. „In der Ehe gibt es Phasen von Nähe und Distanz", hatte er geantwortet.

Als sie am Montagnachmittag die Klingel *Familie Burger* drückte, öffnete Margot erfreut.
„Schön, dass du vorbeischaust. Dein Bruder ist mit dem Traktor unterwegs, will aber in einer Stunde zum Kaffeetrinken kommen. Ich hoffe, du hast etwas Zeit mitgebracht."
„Ja, genug! Das besinnliche Wochenende am Bodensee hat mich entschleunigt." Sie betrachtete das Foto der Frühlingstrauben im Hausgang. „Neben den Herrgottswinkel passt es wunderbar. – Diese Figur des Heiligen Konrad von Parzham erinnert mich daran, wie wir mit den Eltern nach Altötting in Bayern gepilgert sind. Im Zugabteil konnten wir basteln und spielen. Abends bei der Lichterprozession zogen wir singend um die Gnadenkapelle der Schwarzen Madonna."

„Jogi erzählte, dass Hannas Asthma dort eines Tages verschwand."
„Ja, ich war vierzehn Jahre alt. Mama trank schluckweise Wasser aus dem Konradbrunnen, der über eine Reliquie fließen soll. Plötzlich waren ihre Beschwerden weg. Auf meinem Schreibtisch steht auch eine kleine Madonna aus Altötting."
„So fromm wie bei euch ging es in unserer Familie nie zu. – Erzähl mal etwas von deinem Entspannungswochenende!"
„Es war toll, sich mit anderen auszutauschen, zu wandern, zu singen und zu beten. Wir sind schnell zu einer Gemeinschaft zusammengewachsen. Babsy hat als Trainerin ihr Bestes gegeben. – Sind deine Kinder ausgeflogen? Es ist so ruhig."
„Elisa bereitet mit Tanzstundenfreund Matthias ihren 16. Geburtstag vor. Daniel zeigt seiner Freundin die Tiere im Stall und David brütet im Zimmer über einem Semesteraufsatz."
„Ich werde kurz nach ihm sehen." Sie klopfte an seine Zimmertür.
„Miri, welche Überraschung!"
„Gibt es im Theologiestudium Aufsätze als Hausaufgabe?"
„Wir wählen ein Thema, mit dem sich jeder auseinandersetzen soll und diskutieren darüber in Kleingruppen. Momentan geht es um ‚die Angst'. Ich lese dir meine letzten Zeilen vor."

Kinder haben Angst vor konkreten Dingen wie Dunkelheit, Tieren, Schule, Gewalt, was man eher mit dem Begriff Furcht bezeichnet. Urängste vor der Zukunft, vor Versagen und Einsamkeit, vor Krankheit und Tod, vor einem strafenden Gott... beschäftigen jeden irgendwann in seinem Leben. Manche Erwachsene leiden unter Phobien, wie die Angst vor Menschenmengen, Engegefühl im Aufzug, in Untersuchungsröhren, Spinnen etc... Das kann auch körperliche Begleiterscheinungen wie Herzrasen, Schwindel und Atemnot erzeugen.
Wir sollten unsere Ängste annehmen, versuchen mit ihnen zu leben, doch auch erkennen, wenn wir professionelle Hilfe brauchen...

„Was meinst du dazu?"
„Deine Gedanken bieten genügend Gesprächsstoff."
Miriam entdeckte im Bücherregal die rote Lokomotive der Holzeisenbahn, welche sie den Jungs vor Jahren geschenkt hatte. Auch schauten ein paar Dinosaurier zwischen den Büchern hervor. Sie waren Davids Lieblingsspielzeug gewesen. Um den alten Schreibtisch standen moderne Möbel.
„Schön hast du es eingerichtet, ich war schon lange nicht mehr hier oben. – Ich höre Daniel mit seiner Freundin kommen. Ich will sie begrüßen."
Freudig lief Miriam ihrem zweiten Neffen entgegen.
„Hallo Daniel!"
„Das ist Astrid, das meine Tante Miriam, von uns Miri

genannt.“ Er trug ein neues sportliches Outfit und seine Freundin ein gelbgestreiftes Kleid. „Die coolen Klamotten habe ich von einem Teil des Flohmarktgeldes gekauft.“
In diesem Moment tuckerte Joachim mit dem Traktor in die Hofeinfahrt. Kurz darauf lagen sich die Geschwister in den Armen. „Endlich kommst du mal vorbei. Früher warst du mit Mama oft hier.“
„Jetzt sind deine Kinder groß. Ich habe noch andere Verpflichtungen und Hobbys. – Was schaust du mich so ernst an?“
„Ich mache mir Gedanken über dich und Richard. Man sieht euch selten zusammen. Daniel hat mir etwas anvertraut. Vielleicht weißt du es schon.“
„Wovon sprichst du?“
Er saß am Samstagabend mit Astrid in der letzten Reihe im Kino. Richard kam mit einer schwarzhaarigen jüngeren Frau herein und beim Abspann waren sie gleich wieder verschwunden. Wie ich gehört habe, warst du am Wochenende auf der Insel Reichenau. Hat er dir vom Kinobesuch erzählt?“
Miriam schüttelte den Kopf. „Er war auffallend schweigsam, als ich vom Wochenende berichtete.“
„Nun mal nicht die Pferde scheu machen, ist vielleicht ganz harmlos.“
„Da er zurzeit wenig zuhause ist und immer gefühlskälter wird, habe ich schon überlegt, ob er eine Freundin hat.“

Auf der Terrasse war der Kaffeetisch für sechs Leute gedeckt. Daniel küsste seine Freundin. „Wo habt ihr euch kennengelernt?", fragte Miriam.
„Marco Walter hat letzte Woche mit der Band im Ochsen gespielt. Ich war mit Tamy dort, da habe ich meine Süße getroffen." Verliebt lächelte er sie an.
„Jetzt greift zu! Apfelkuchen oder Schwarzwälder? Hier in der Kanne ist Kaffee, in der anderen ist Grüner Tee."
„Frau Burger, kann ich bitte eine Tasse frischen Cappuccino aus der Maschine haben? Ich mag keinen Kaffee aus der Kanne", bemerkte Astrid.
„Gut, wenn Frauen wissen, was sie wollen!" Kurz darauf kam Margot mit einer dampfenden Kaffeetasse zurück.
„Miri, in etwa einer Stunde kommt Elisa mit Matthias. Bleibst du noch so lange?"
„Es zieht mich nicht nach Hause. Vielleicht wissen es schon alle, dann können wir offen darüber reden."
Daniel schüttelte ungläubig den Kopf. „Papa, warum hast du es ihr gesagt? Du kennst das Goethe-Zitat: *Was ich nicht weiß, macht mich nicht heiß!*"
David bemerkte: *„Ehrlich währt am längsten!* Sicher war der Kinoabend harmlos."
„Das glaube ich inzwischen nicht mehr." Sie griff zum Handy. „Richard, ich bin noch etwas bei Jogi in Freiau … Ach, das hast du lange nicht mehr gemacht. Dann einen schönen Abend!" Sie legte auf. „Er hat sich mit Kollegen zum Kegeln verabredet."
Daniel grinste. „Was der wohl kegelt!"

Sein Vater puffte ihn in die Rippen. „Muss diese blöde Bemerkung sein?"
„Es war nicht so gemeint. Wenn man im Fernsehen sieht, wie ständig die Paare wechseln, denkt man, dies sei normal."

Miriam belastete das Gespräch mehr als sie gedacht hatte. Ihre Gedanken kreisten um Richards Kinobesuch. Ob er eine sogenannte Affäre hatte?
Margot schlug vor: „Leg dich, bis Elisa kommt, auf die Terrasse und nimm die warme Decke mit. Es ist draußen noch frisch."
Miriam versuchte alle Sorgen mit den Wolken wegziehen zu lassen. Sie glaubte die Stimme ihrer Freundin zu hören: „Dein Kopf ruht auf einem weichen Kissen oder im warmen Sand. Lass alle Anspannung im Körper los!" Sie schloss die Augen und spürte, wie sie ruhiger wurde.

Die jungen Leute hatten sich in die rosenumrankte Gartenlaube gesetzt und blickten schweigend zu Miriams Liegestuhl.
„Dass Liebe immer schwierig sein muss! Vielleicht ist der Mensch nicht monogam veranlagt", sagte Astrid.
David zupfte an seinem dünnen Kinnbart. „Es gibt viele Ehen, welche die goldene oder eiserne Hochzeit erreichen. Man muss immer wieder für sein Glück kämpfen."
„Ja, oft ist es ein Kampf! Manche Paare bleiben zusam-

men, weil sie es versprochen haben, obwohl sie unglücklich sind“, bemerkte sein Bruder.
„Drum prüfe, wer sich ewig bindet! In der katholischen Kirche gilt die Ehe als unauflösliches Sakrament.“
Astrid mischte sich ein: „Da ist die evangelische und altkatholische Kirche barmherziger. Meine Mutter ist mit dem zweiten Mann glücklicher. Mein Vater hat mit der neuen Frau zwei Kinder. Ist Mama vor Gott noch mit Papa verheiratet, obwohl er eine Familie hat und meine Mutter einen neuen Mann?“
David verzog die Mundwinkel: „Das ist kompliziert. Gott lehnt die neue Familie mit den Kindern sicher nicht ab. Wir alle machen im Leben Fehler und laden Schuld auf uns.“
„Schuld, Schuld!“, wiederholte sein Bruder. „Für mich ist jemanden zu lieben keine Sünde.“
„Da gibt dir das Fernsehen recht, welches oft keine Moral mehr kennt.“
„Ich habe gehört, dass du katholischer Priester werden willst. Da musst du auf Partnerschaft und Ehe verzichten“, bemerkte Astrid.
„Vielleicht wird das Zölibat bald abgeschafft“, sagte David zögernd.
„Mein Zwillingsbruder kann nach dem Theologiestudium auch Pastoralreferent werden. Da darf man heiraten.“
Astrid strich durch ihr langes blondes Haar. „Wollen wir mal das Thema wechseln? Wie wäre es mit Blumen?

Letzte Woche brachte ich Mama einen Strauß bunter Rosen und sie hatte Freudentränen in den Augen.“

„Hallo, hallo!“, hörten sie plötzlich Elisas Stimme, nachdem ein ratterndes Moped in den Hof gefahren war. Miriam zuckte zusammen, als Elisa ihr einen Kuss auf die Stirn drückte. „Mein Tanzstundenfreund Matthias! – Ruhe dich noch etwas aus, ich begrüße schnell die anderen. – Hallo zusammen! Matthias kennen außer Aschdrid schon alle.“
Astrid schaute brüskiert, weil sie den badischen Dialekt verabscheute. Doch der Schwester ihres Freundes wollte sie es nicht übelnehmen.
„Na, führt ihr heiße Diskussionen?“
Daniel lachte. „Wir haben interessante Themen wie Blumen, Beziehungen und Zölibat, die sogenannte Ehelosigkeit.“
David sagte ernst: „Das Leben ist kein Zuckerschlecken.“
„Ja, du Trübsal-Blaser!“ Elisa zog den Bruder neckisch an der Nase.
„Leute, ich bin auf dem Sprung, ich habe Basketballtraining“, rief Matthias, dem eine blonde Locke in die Stirn fiel.
„Kannst du mich auf dem Moped mitnehmen?“, bat Astrid. „Es ist schon 19 Uhr! Ich muss nach Hause.“
„Natürlich! Wenn es für Daniel und Elisa in Ordnung ist.“
Elisa gab Astrid ihren Helm. „Leihweise, versteht sich!

Und du spannst mir meinen Freund nicht aus."
„Mal den Teufel nicht an die Wand!" Daniel drohte mit dem Zeigefinger und gab Astrid einen Abschiedskuss. „Bis morgen!"
„Tschüs, Aschdrid!" Elisa lachte.

Sie lief zu Miriam zurück. „Nun, machen wir einen Plausch zu zweit?"
„Ich würde das Gespräch gern vertagen. Ich fühle mich erschöpft und möchte heimfahren."
„Okay, Miri. Kannst du mir bei einer Argumentation zum Thema ‚Medien' helfen? Kommst du Mittwoch oder Donnerstag wieder vorbei?"
„Am Mittwoch besuche ich mit Babsy und den Mädchen den Zoo. Donnerstagmittag wäre es möglich."
„Liebe Schwägerin, dann wartet auf dich ein vegetarisches Mittagessen."
Miriam sprach kurz mit Joachim über die Hausauflösung und fuhr nach Heitersheim zurück.

7. Mitmenschliches

Richard fand seine neue Kollegin Melissa Schiller sehr attraktiv. Als sie zum Schulhalbjahr mit den Fächern Mathe und Englisch gekommen war, bat ihn Direktor Rieger ihr das Gymnasium zu zeigen. Zwischen Richard und der schwarzhaarigen Vierzigerin stimmte die Chemie. Gleich am ersten Tag lachten sie viel und tauschten sich über ihre Hobbys aus.
Als die Schüler nach einer gemeinsamen Pausenaufsicht ins Schulgebäude stürmten, hielt er Melissa die Türe auf. Unter ihrem rosafarbenen Overall blitzte eine weiße Spitzenbluse hervor. Richard konnte kaum die Augen von ihr lassen. Sie war nicht der klassische T-Shirt und Jeanstyp, sondern trug Kleidung, die ihre Weiblichkeit betonte. Ihr Freund hatte vor zwei Monaten die Karriere im Ausland vorgezogen. Die beiden trafen sich nun immer häufiger auch außerhalb der Schulzeit.

Während Miriam ihr Entspannungswochenende genoss, lud er Melissa ins Kino ein. Seine Kollegin rückte bei aufregenden Szenen eng an ihn heran, was bei ihm eine zunehmende Erregung auslöste.
„Kommst du noch auf ein Gläschen Wein zu mir?"
Richard ignorierte die leisen Alarmglocken und ließ sich willenlos mitziehen. Wie lange war es her, dass er einer verführerischen Frau in ihre Wohnung folgte! Sie trug ein enges schwarzes Kleid. Wie er diese Frau begehrte!

Die mit schwarz-weißen Möbeln eingerichtete Zweizimmerwohnung nahm er kaum wahr. Sein Blick fiel auf ein graues Polsterbett, das mit einer roten Tagesdecke verhüllt war.
Melissa brachte eine Flasche Rotwein und zwei Gläser. „Schön, dass du mich besuchst, Richard!" Plötzlich saß sie auf seinem Schoß und schmiegte sich sanft an ihn.
„Du weißt, dass ich verheiratet bin!"
„Fast alle interessanten Männer sind verheiratet. Mich stört das nicht." Sie schlang ihre Arme um ihn und er küsste ihren rot geschminkten Mund. Richard konnte keinen klaren Gedanken mehr fassen. Besinnungslos vor Leidenschaft trug er Melissa zum Bett und schlug die rote Decke zurück.
Er blieb bis zum Frühstück. Sie einigten sich, ihre Beziehung geheim zu halten. An der Schule würde eine Affäre keinen guten Eindruck machen. Auch Miriam sollte nichts erfahren. Doch Richard vermutete, dass sie Verdacht schöpfte.

Nach dem Besuch in Freiau fuhr Miriam mit klopfendem Herzen nach Hause, richtete ihr Bett auf dem Sofa und nahm eine Baldriantablette. Morgen musste sie in der Schule fit sein und sollte nicht die Nacht mit Grübelei verbringen. Sie las einige Seiten aus *Ansichten eines*

Clowns von Heinrich Böll, der Schwerpunkt ihrer mündlichen Deutsch-Prüfung war. Aktuell behandelte sie in der achten Klasse Kurzgeschichten aus Bölls Erzählband *Wanderer, kommst du nach Spa* ... Doch bald legte sie müde das Buch weg und schloss die Zimmertür ab. Richard würde spät vom Kegeln kommen und nicht mehr nach ihr sehen.

Am Dienstagabend suchte sie das Gespräch. „Schön, dass du einmal vor Mitternacht zu Hause bist! Morgen fahre ich mit Babsy und den Mädchen in den Zoo nach Großhausen..." Sie hatte ein großes Redebedürfnis und seine Gedanken schweiften ab. Plötzlich ließen ihn die Worte *Kinobesuch am Samstag* aufhorchen. „Daniel war mit Astrid im Kino und hat dich mit einer Frau gesehen. Du hast mir von dem Film nichts gesagt!"
In Richards Kopf schwirrten die Gedanken. Jetzt schlagfertig reagieren, für ein Geständnis war es zu früh.
„Meine neue Kollegin Melissa hat eine Trennung hinter sich und fragte, ob ich mit ihr ins Kino ginge." Er sprach ruhig, obwohl sein Herz zum Zerspringen klopfte.
„Dann kam es euch gelegen, dass ich das Wochenende verreist war." Sie wollte die gewisse Frage nicht stellen. Er könnte lügen. „Ist sie attraktiv?"
„Sie sieht nicht schlecht aus. Aber du brauchst nicht eifersüchtig zu sein, wenn ich einmal mit einer jüngeren Kollegin ausgehe." Er umarmte Miriam kurz. „Lassen wir die Diskussion für heute!"

In dieser Nacht schlief sie im Ehebett. Richard lag am anderen Ende und sie hörte bald sein Schnarchen. Ihr Schluchzen nahm er nicht wahr.

Im Zug nach Großhausen erzählte Miriam den Mädchen vom Banküberfall, den ihre Schwiegermutter erlebt hatte. Die fünfjährige Katarina, deren dunkelblonde Haare mit Schmetterling-Spangen geschmückt waren, fragte aufgeregt. „Ist das echt wahr oder ein Märchen?“
„Darf ich dich Katrin nennen?“
„Die Oma aus Bayern und einige im Kindergarten sagen es auch. Ich höre auf beide Namen.“
„Katrin! Frau Schuhmann hat den Überfall wirklich erlebt, doch es ist alles gutgegangen.“
„Ich hätte große Angst gehabt“, sagte die zwei Jahre ältere Kornelia.
Miriam nickte. „Ich denke, alle anderen Leute auch.“

Sie erreichten den Zoo, der neben dem Bahnhof lag. Zuerst rannten die Mädchen zum Affengehege, wo eine Affenmutter ihrem Kleinen ein Stückchen Banane in den Mund steckte. „Ich vermisse meine Mama sehr“, sagte Katrin traurig.
Kornelia begann zu weinen. „Letztes Jahr waren wir mit Mama und Papa da.“
Barbara blickte zu den Wolken hinauf. „Ich glaube, sie

schaut uns vom Himmel zu und freut sich, dass wir hier sind."
„Warum ist sie gestorben und hat uns allein gelassen?", fragte Katrin.
„Alle Menschen sterben irgendwann. Doch eure Mutter war zu jung. Ihr wisst, es war ein schrecklicher Unfall. Ein Lastwagenfahrer fuhr rückwärts aus dem Hof und hat sie nicht gesehen."
„Das ist ein Mörder!", rief Kornelia zornig.
„Er wird bestraft werden, aber er hat es nicht mit Absicht getan. Sicher ist er sein Leben lang traurig, weil er nicht aufgepasst hat."
„Wegen ihm kommt Mama nie mehr zurück!"
Miriam zog die Kinder zu einer freien Bank. „Wir setzen uns jetzt hier neben das Elefantengehege und vespern."
Sie stellten Getränke, belegte Brote und Puddingschälchen auf einen Holztisch. Das Essen lenkte die beiden Mädchen ab. Nachdem sie Elefanten und viele andere Tiere bestaunt hatten, vergnügten sie sich auf dem großen Abenteuer-Spielplatz.
Barbara versprach, bald wieder etwas gemeinsam zu unternehmen.
„Ist Miriam dann auch dabei?", fragte Katrin.
„Ich komme gern mit." Sie verkniff sich den Beisatz: ...wenn ich Zeit habe.

Einmal im Monat planten Burgers einen Familienabend. Zum Tagesausklang traf man sich in der geräumigen Küche und sprach über Dinge, die einem am Herzen lagen oder die zu erledigen waren. Früher gab es regelmäßige Hauskonzerte, denn die Kinder waren mit Liebe zur klassischen Musik aufgewachsen. Margot spielte Klavier und E-Piano und hatte manche Vernissage mit ihrem virtuosen Spiel bereichert.
Joachim kaufte als Jugendlicher nach einem Job in der Gurkenfabrik seine erste Gitarre. Er liebte akustische Gitarren. Da er gern Blues- und Folkmusik spielte, erwarb er vor zwei Jahren eine Dreadnought-Gitarre. Die klaren Höhen und starken Bässe überzeugten ihn.

Seine Frau gab den Kindern im Grundschulalter klassischen Blockflötenunterricht. Elisa war zur Querflöte gewechselt. Sie spielte seit zwei Jahren im Schulorchester. Schon als Kind faszinierte David der Klang der Harfe und er blieb ihr treu. Inzwischen spielte er meist auf der keltischen Harfe. Da sie nur eine Höhe zwischen 0,7 und 1,6 m hatte, konnte er sie besser transportieren. Sein Zwillingsbruder Daniel wollte nach der Blockflöte kein weiteres Instrument lernen. Er ließ sich jedoch zu einem Schlagzeugkurs überreden. Manches Hauskonzert ergänzte er mit Trommelwirbel und Glockenspiel oder durch ein beeindruckendes Schlagzeugsolo.
Margot sagte: „Die letzten Tage haben wir viele Gespräche geführt. Ich schlage vor, da wir vollzählig sind, heute

den Schwerpunkt auf die Hausmusik zu legen."
Nach kurzer Aussprache nach dem Abendessen richteten sie ihre Instrumente. In regelmäßigem Wechsel gab einer der Familie den Ton an.
Die musikbegeisterte Mutter saß schon am Klavier und spielte das Air von J.S. Bach, eines ihrer Lieblingsstücke. Als sie einen Chopin-Walzer anstimmte, fielen die einzelnen Instrumente der Reihe nach ein. Nach über einer Stunde verabschiedeten sie sich mit einer Umarmung.
„Am Sonntag gibt es ein Orgelkonzert in der Martinskirche. Möchte jemand mit mir und Papa hingehen? Erich und seine Tochter Emma kommen auch und übernachten bei Miriam."
David schob seine Harfe ins Gästezimmer. „Ich bin dabei!"
„Ich überlege es noch." Elisa lief in ihr Zimmer, holte den kleinen Schlüssel aus der Schmuckdose und öffnete ihr buntgeblümtes Tagebuch. Wie oft hörte man, dass Eltern oder Geschwister aus Neugier darin blätterten. Das galt es zu vermeiden. Wer wusste, was sie diesem Buch alles anvertrauen würde! Sie schrieb:

Heute hatten wir seit langem wieder ein schönes Hauskonzert.
Und in wenigen Tagen werde ich 16 Jahre alt. Mein Freund Matthias ist 18 Jahre und macht nächstes Jahr Abitur. Ich bin so verliebt in ihn! Kaum ist er fort, vermiss

ich ihn. – Ich will für immer bei dir sein, so lass mich doch nie mehr allein!

Miriam schmeckte der Pfannkuchen mit Blumenkohl. Die gemütliche Atmosphäre bei Burgers tat ihr gut. Elisa hatte einen frischen Obstsalat als Dessert zubereitet. Die Brüder waren ausgeflogen und sie freute sich, allein mit Tante Miri Zeit zu verbringen. Sie setzten sich auf das Sofa. Elisa las ihren Text zu den Medien vor:

Mein Hobby ist Lesen. Früher habe ich Kinder- und Mädchenbücher verschlungen. Heute bevorzuge ich moderne Märchen, Kurzgeschichten und Science Fiktion. Die Entscheidung, ein angefangenes Buch weiterzulesen oder abends einen Film zu schauen, fällt mir nicht leicht. Mit E-Books tue ich mich noch schwer, denn ich habe lieber ein richtiges Buch in der Hand. Man kann es sich damit auf dem Sofa gemütlich machen und es überallhin mitnehmen.“

„Das geht mit dem E-Book auch. Hier musst du den Unterschied genauer darstellen.“

Elisa fuhr fort:

Gern besuche ich mit Freunden das Kino oder eine Kunstausstellung.

Manche Kindergarten-Kinder besitzen schon einen Spiel- und Lerncomputer. Das gab es früher nicht. Ein eigenes Handy erhielt ich erst mit 13 Jahren.

Die Vielfalt der Medien ist besonders für ältere Menschen nicht mehr überschaubar. Sie sind oft auf die Hilfe ihrer Kinder oder Enkel angewiesen.

„Bring im persönlichen Schlussteil eigene Erfahrungen! Du hast damals Oma Hanna ein Handy gekauft und ihr WhatsApp eingerichtet. – Deiner Arbeit fehlt die Struktur. Mache eine Tabelle zur Übersicht und vergleiche darin die verschiedenen Medien: Buch, Zeitung, Radio, Fernsehen, Computer, Handy…. Dann hast du es bei den Argumenten pro und contra leichter."
„Puh!" Elisa stöhnte.
Als es eine halbe Stunde später läutete, schrieb sie gerade Stichworte zum Schlussteil.
„Hallo, junger Mann!", grüßte Miriam. „Die Vorarbeiten für die Argumentation sind gemacht. Elisa muss jetzt den Text noch selbst entwickeln."
Matthias, ein schlanker Junge mit blondem Lockenkopf, sah sie grinsend an. „Danke, dass Sie meiner Freundin helfen, denn manchmal hat sie ein Brett vor dem Kopf!"
Elisa reagierte nicht gekränkt, sondern konterte: „Und du merkst selten, wenn du auf der Leitung stehst." Sie schlug ihr Heft zu und drückte ihre Tante zum Abschied.

Miriam lief zu Joachim, der in der Küche das Geschirr versorgte. „Bruderherz, du siehst blass aus. Sind deine Eisenwerte in Ordnung?"
„Beim großen Blutbild gab es keine Beanstandungen.

Wir sind keine Veganer und essen Eier, Käse und Milchprodukte."

„Ich kaufe auch weniger Fleisch. Mein Nachbar, Klaus Polomski, ist seit vierzig Jahren Vegetarier und wirkt fit und gesund. Er hat uns zu seinem 70. Geburtstag eingeladen."

„Ist das der Mann mit dem kleinen Buchverlag, der auch Romane schreibt?"

„Ja! Ich will ihn mit Tamy bekannt machen, die Schreibtalent hat."

Margot begleitete ihre Schwägerin zum Auto. „Was ist mit Richard und dir? Habt ihr euch ausgesprochen?"

„Er gab den Kinobesuch mit seiner Kollegin Melissa zu und hat ihn sehr verharmlost."

8. Haushaltsauflösung

Am Freitagabend übernachtete Miriam zum letzten Mal im Elternhaus.
Thea Sommer stand morgens um acht Uhr vor der Tür. „Für den Flohmarkt bereit und den ganzen Tag Zeit!"
„Prima! Dann werden wir jetzt frühstücken."
„Diese Woche war die Arbeit im Jugendzentrum und auch im Frauenhaus sehr anstrengend. Es gibt so viele Familientragödien, wo man als Sozialpädagogin gefordert ist. Ich freue mich jetzt auf etwas Abwechslung."

Zusammen mit den ersten Flohmarktbesuchern tauchte Tamara mit Marco auf.
„Das ist also dein Schatz! Ist eure Beziehung nun offiziell oder soll ich noch schweigen?"
„Ich habe es meinen Eltern nicht gesagt."
„Ein hübscher Kerl", flüsterte Miriam ihrem Patenkind zu. „Meinen Segen hast du!"
Schulterlanges Haar umrahmte Marcos schmales Gesicht. „Schön, Sie kennenzulernen. Können wir Sie beim Flohmarkt unterstützen?"
Drei neue Kunden trafen ein. „Gern! Aber bitte lass das Siezen! Ich bin Miriam oder Miri. Ich bleibe unten an der Kasse. Wir lassen die Tür auf und stellen zwei Bücherkisten dazwischen – Thea! Es kommt jemand zum Helfen", rief sie nach oben. „Alle Bücher sollen runterge-

bracht werden, damit die Leute sie draußen durchstöbern können."
Ein junger Mann mit Rucksack trat ein und lief die Treppen hinauf.
„Dann wollen wir mal!" Thea drückte dem verdutzten Mann eine Bücherkiste in den Arm. „Das kommt vors Haus."
„Das kann ich gern machen, wenn Sie Hilfe brauchen." Marco eilte die Treppe hinauf. „Oh, das ist nett von dir." Thea wunderte sich über den zweiten hilfsbereiten Mann. „Ich bin Tamaras Freund Marco und stehe zu Diensten."
Schon war der junge Mann mit dem Rucksack wieder zur Stelle. Das Missverständnis klärte sich und der freiwillige Helfer durfte drei Bücher aussuchen.

Ein Auto fuhr vor und Miriam eilte hinaus. „Heidi, da bist du ja!" Sie umarmten sich.
„Kostet es Eintritt?", fragte sie schmunzelnd. Tamara, die jetzt an der Kasse saß, lachte.
„Darf ich vorstellen? Mein Patenkind Tamara! – Heidi Roser vom Wochenende auf der Reichenau. Ihr seid übrigens gleich alt."
„Super!" Heidi gab ihr die Hand.
Mit Beraten, Einpacken, Kassieren und Aufräumen waren sie zu fünft beschäftigt und der Tag verging im Flug.
„Wir haben etwa 700 Euro eingenommen!", rief Miriam begeistert.

Joachim kam mit David, um auf den mitgebrachten Anhänger Sachen vom Keller zu laden. Sie schleppten eine Kiste mit großer Holzkrippe, Gartenstühle, Blumentöpfe, Eingemachtes und Weinflaschen über die Kellertreppe hinaus.
„Jogi, mit 2300 Euro Erlös bei den drei Flohmärkten können wir zufrieden sein. Wir haben viele Sachen von Mama unter die Leute gebracht. Nach Abzug der Entsorgung und Hausreinigung bleibt noch ein kleiner Gewinn."
„Meine Kinder und Tamara haben den größten Teil bekommen. Auch ich kann einige Scheine für landwirtschaftliche Geräte brauchen."
„Wenn etwas übrigbleibt, bekommst du es sofort. Bald schwimmen wir im Geld! – Stellt euch vor, wir fanden schon Käufer für das Haus. Sie wollen demnächst mit der Renovierung beginnen."
„Ist der Preis in Ordnung?", fragte Thea.
„530.000 Euro im jetzigen Zustand, da kann man nichts sagen."
„Wir stellen die Sachen in euren Keller. Ist Richard zuhause?"
„Ja, ausnahmsweise. Tschüs ihr zwei und Dankeschön!"
„Schade, dass ihr das Haus nicht behaltet", meinte Heidi.
„Jogi hat ein großes Anwesen und uns reicht die geräumige Wohnung. Richard wollte nie Verantwortung für ein Haus übernehmen. Rasen mähen, Gartenarbeiten,

Reparaturen etc. sind ihm ein Dorn im Auge. Dafür haben wir öfters Urlaub gemacht. – Tamara, gibt es wieder mal ein neues Gedicht von dir?"
„Hier!" Sie zog ein Blatt aus der Handtasche.
„Soll ich es laut vorlesen? Aber sagt mir nachher eure ehrliche Meinung!"

Freiheit

Persönliche Freiheit heißt für mich:
mein Leben selbstbestimmt zu gestalten,
mich nicht nur nach anderen zu richten,
eigene Entscheidungen treffen zu können
und die auch dem Nächsten zuzugestehen.

Persönliche Freiheit heißt für mich:
krankmachende Dinge loszulassen,
Belastungen des Alltags auszuschalten,
zu erkennen, was im Leben wesentlich ist,
glauben, helfen, tanzen und träumen.

Innere Freiheit heißt für mich:
ruhig auf einer Bank im Freien zu sitzen,
dem Zwitschern der Vögel zu lauschen,
meinen gleichmäßigen Atem zu spüren,
positiven Gedanken ihren Lauf zu lassen.

Innere Freiheit heißt für mich:
gegenwärtig und unbekümmert zu sein,
jeden Tag neue Hoffnung zu schöpfen,
innerliche Schwingen auszubreiten und
grenzenloser Freiheit entgegenzufliegen.

Heidi lauschte aufmerksam. „Moderne einfache Poesie! Solche Fähigkeiten habe ich nicht. Bei mir liegt das Talent im Handarbeiten und Schmuck entwerfen. Ich bin Goldschmiedin."

„Dieses Metier ist mir völlig fremd."

„Tamy, dein Gedicht gefällt mir gut. Wir können über den Unterschied zwischen innerer und persönlicher Freiheit nochmals sprechen. Mein Nachbar Herr Polomski will mit seinem neuen Buchverlag unbekannte Talente fördern. Das wäre doch etwas für dich!"

„Ich muss zuerst mein Studium ‚Künstlerisches Lehramt mit Bildender Kunst' zu Ende bringen. Für die Masterarbeit habe ich nur vier Monate Zeit!"

„Gibt es schon ein Thema?", fragte Miriam interessiert.

„Ja! Ich vergleiche die Intentionen impressionistischer und expressionistischer Malerei und ihre unterschiedliche Wirkungsweise auf Kinder und Jugendliche."

Heidi staunte. „Das klingt anspruchsvoll. Da musst du Recherchen durchführen und Bücher wälzen."

„Ich werde in der Grundschule und im Gymnasium Projekte anbieten und auswerten."
„Dass du Schüler motivieren kannst, hast du beim Praxissemester in unserer Realschule gezeigt."
„Ich denke, es ist für mich der richtige Beruf. Ein Studium mit Pädagogik, Psychologie und Soziologie schafft eine gute Grundlage für den Umgang mit der Jugend."
„In meiner Ausbildung als Sozialpädagogin machten mir diese Fächer auch Spaß", sagte Thea. „Meine Praxisarbeit mit jungen Menschen und Erwachsenen in Krisensituationen erfordert viel Empathie. Ich wünsche dir alles Gute für die anstehende Prüfung und deine schriftstellerische Zukunft."
„Vielen Dank, Thea!"
Heidi, Marco und Tamara verabschiedeten sich.
Thea saß mit Miriam auf dem alten übrig gebliebenen Sofa im Schlafzimmer.
„Miri, die Atmosphäre beim Flohmarkt war toll. Wir zwei sind uns nahegekommen wie in Schulzeiten. Doch jetzt muss ich los. Jörg hat dieses Wochenende tierärztlichen Notdienst. Vielleicht wartet in seiner Praxis ein Patient auf mich. Und morgen bin ich in der Nachbarschaft wieder als Hundesitter engagiert.

9. Erich und Emma

Am Sonntag hatten sich Erich und seine Tochter Emma zum Kaffeetrinken angekündigt. Miriams Kusine war mit 58 Jahren unwesentlich älter, doch die Frauen sahen sich selten. Emma zog vor 25 Jahren mit ihrem englischen Mann nach Neuseeland, wo sie beide als Journalisten bei einer Zeitung arbeiteten.
Die Unterhaltung am Kaffeetisch kam schleppend in Gang. „Du hast Mann und Sohn in Neuseeland zurückgelassen und kümmerst dich nun um deinen Vater?“
„In meinem Urlaub wollte ich ihn wieder einmal besuchen.“
„Mit 85 Jahren weiß man nicht, wie viel Zeit man noch hat. Im Augenblick genieße ich es, nicht allein zu sein und bemuttert zu werden. Die Arthrose in Knie und Hüften macht mir wieder zu schaffen. Mein Übergewicht habe ich um zehn Kilo reduziert, mich zur Krankengymnastik angemeldet und mache kleine Spaziergänge mit dem Seniorenbund.“
„Wie Mama! Beweglich bleiben, solange es geht. Ihr habt öfters etwas zusammen unternommen.“
„Die letzte gemeinsame Veranstaltung war der Theaterbesuch von *Nathan der Weise von Gotthold Ephraim Lessing*. Das sollte sich jeder anschauen oder die Lektüre lesen.“
„Papa, wovon handelt diese Geschichte?“
„Kaufmann Nathan erzählt die berühmte Ringparabel.

Die drei Ringe sind Symbole für die Weltreligionen: Christentum, Judentum und Islam. Es geht darum, welcher der vererbten Ringe des Vaters der Echte ist. Das Richterurteil lautet: Jeder soll seinen Ring als den wahren ansehen, denn alle spiegeln die Liebe des Vaters. Man kann ein vorbildliches Leben führen, egal mit welcher Weltanschauung man aufgewachsen ist."

„Erich, diese Worte aus deinem Mund!"

„Mein Glaube wird mir immer wichtig bleiben. Doch Menschlichkeit und Toleranz sind entscheidend für ein friedliches Zusammenleben."

„Auch ich liebe dieses Drama. Wir haben es bei einem Deutschseminar ausführlich besprochen."

„Jetzt habt ihr mich neugierig gemacht."

„Emma, morgen liegt das Reclam-Heft auf deinem Bett. Bis du heimfliegst, hast du es gelesen." Er schob ein weiteres Obsttörtchen auf seinen Teller. „Schön, dass wir hier eine Nacht im Gästezimmer bleiben können."

Richard kam mit einem Cappuccino herein. Er löffelte genießerisch den Milchschaum aus der Tasse und verspeiste eine Erdbeerroulade.

„Ich freue mich auf das Orgelkonzert. Kommst du auch mit, Richard?"

„Erich, das ist nicht mein Ding. Ich schaue lieber den Krimi heute Abend."

„Ach!", sagte Erich verwundert. „Hanna und ich haben viele Konzerte besucht."

Abends liefen sie die Viertelstunde zur Martinskirche.

Erich wollte seine Gelenke bewegen. Zusammen mit Burgers, die am Eingang der festlich beleuchteten Kirche warteten, fanden sie zwei Reihen hintereinander Plätze.

„Großartig war es“, lobte Emma nach dem Konzert. Ihr Vater wirkte verklärt. „Ein beeindruckendes Erlebnis! Das Choralvorspiel *Eine feste Burg ist unser Gott von Dietrich Buxtehude* hat mich sehr angesprochen. Ich liebe dieses Kirchenlied.“
David erklärte: „Der Text stammt von Martin Luther. Mein Favorit war *Von Gott will ich nicht lassen von Johann Sebastian Bach.“*
„Deshalb studierst du Theologie.“ Ob dies eine Feststellung oder Provokation seiner Schwester war, interessierte David nicht. Die Musik hatte ihn tief in der Seele berührt und er nahm sich vor, öfters Orgelkonzerte zu besuchen.
Miriam sah in das Programm, vergaß aber bald die Namen der Komponisten mit ihren Werken. Sie genoss einfach die gewaltigen oder sanften Orgeltöne, bei denen sie sich zeitlos fühlte.

„Morgen ist mein freier Schultag. Könnten wir um acht Uhr frühstücken? Um neun Uhr holen Caritas und Diakonie noch Brauchbares aus dem Elternhaus.“
„Auf jeden Fall! Papa ist Frühaufsteher!“
„Ich denke, ich bin um die Mittagszeit zurück.“

„Ich koche Gemüsenudeln mit Salat“, schlug Emma vor. „Das nehme ich gern an. Die Lebensmittel sind vorhanden. Es gibt frisches Gemüse im Kühlschrank. Ich hätte gemischten Salat und Fertigpizza gemacht. Zum Kaffeetrinken sind wir bei Burgers in Freiau eingeladen.“
„Kommt Richard mit?“, fragte Erich.
„Nein, er arbeitet am Stundenplan in der Schule und abends kegelt er mit Kollegen. Wir verbringen sehr wenig Zeit miteinander.“ Ihre Stimme klang traurig.
„Eure Liebe scheint eingerostet zu sein. Lena und ich hatten in der Ehe auch Differenzen. Einige Male drohte sie mich zu verlassen, wenn ich dies oder jenes nicht ändern würde.“
Emma mischte sich ein: „Einmal war ich mit Mama drei Tage bei ihrer Freundin Elke. Anschließend standen jede Woche rote Rosen auf dem Wohnzimmertisch.“
„Wir haben zum Glück immer wieder zusammengefunden.“

Als Miriam nach Hause kam, sah sie angerichtete Salatteller auf dem Tisch und die Nudel-Gemüsepfanne auf dem Herd duftete köstlich.
„So verwöhnt wurde ich lange nicht mehr. Vielen Dank, Emma!“
Nach dem Essen räumten die beiden Frauen die Küche auf. – Erich, hier ist die Tageszeitung. Du kannst sie gern lesen.“
„Ich schaue immer zuerst die Todesanzeigen an. Und

wenn ich im Sportteil die Männer mit aufgerissenen Mündern betrachte, denke ich an wilde Tiere, die miteinander kämpfen. Ich bin jetzt 85 Jahre alt und habe wenig Sport gemacht."
„Papa, wir sind früher Rad gefahren, waren wandern und schwimmen."
„Mag sein, aber übertrieben habe ich es nie!"

Zwei Stunden später kamen sie bei Burgers in Freiau an. Joachim zeigte ihnen den Hof, die Ställe und das Gehege mit den Tieren. Daniel fütterte gerade die Hühner, Hasen und Gänse. Die Pferde grasten auf der Weide.
Während des Kaffeetrinkens entstand eine lebhafte Unterhaltung.
„David ist an der Uni, er kommt abends", sagte seine Mutter. „Daniel sitzt wieder in seinem Zimmer und liest einen Roman, den er bei einer Tombola gewonnen hat. Es sind über 800 Seiten!"
Daniel schien in einer anderen Welt zu sein, als sein Onkel an die Tür klopfte.
„Erich, dieses Buch von Luka Di Fulvio: ‚Das Kind, das nachts die Sonne fand' ist der Wahnsinn! Der dritte Roman des 1957 geborenen Autors wurde 2015 Spiegel-Bestseller. Bei einem Massaker wird eine Fürstenfamilie bestialisch ausgelöscht. Ein überlebender Junge wird von seiner Hebamme als Leibeigener getarnt mit ihrer Tochter aufgezogen."
„Da lese ich lieber einen Arzt- oder Heimatroman und

schaue Unterhaltungsfilme oder Kochshows. Auch Bibel TV sendet wertvolle Beiträge. Doch jeder, wie er es mag!“
„Das Buch enthält eine Liebesgeschichte zwischen Marcus, der unter dem Decknamen Mikael aufwächst und Eloisa, der Tochter der Hebamme. Als Erwachsener kämpft er gegen die Leibeigenschaft, für Freiheit und Menschlichkeit. Die Geschichte mit vielen Dialogen ist atemberaubend geschrieben in flüssigem Sprachstil.“
„Es muss ja einen Grund geben, dass es ein Spiegel-Bestseller geworden ist. – Kommst du noch einmal herunter, bevor wir gehen?“
„Ja, ich bin gleich da.“

„Ist er wieder am Lesen?“, fragte Margot. „So kenne ich meinen Sohn gar nicht.“
„Er hat noch über 400 Seiten bis zum Romanende.“
Emma staunte. „So ein dickes Buch habe ich noch nie gelesen. Da schaue ich lieber Fernsehen.“
„Besonders nachmittags ‚Sturm der Liebe‘, wenn du zuhause bist. Es kommt sogar in Neuseeland. Lena und Hanna haben es auch gern gesehen.“
„Die Serie ist unterhaltsam und zeigt fantastische Naturaufnahmen. Es gibt vorbildliche Personen und fiese Intriganten, Hochzeiten, Entführungen, Unfälle, Mord und Totschlag. Doch bei manchen heiteren Szenen kann man auch lachen. Das Liebespaar aus dem Vorspann fin-

det erst nach unzähligen Folgen zusammen. Sie verlieben sich meist in den falschen Partner, bis es dann mitdem vorbestimmten Menschen klappt."
„Man hat den Geschmack der Zuschauer getroffen", bestätigte Miriam. Sie hatte die Serie mit einer Pizza auf dem Schoß schon öfters gesehen. „Es endet an einer spannenden Stelle, damit man die nächste Folge nicht verpassen will!"
„Jeder, wie er es mag!", betonte Erich noch einmal.

Daniel erschien zum Verabschieden.
„Kommt Aschdrid heute nicht mehr?" Er ignorierte Elisas Provokation.
„Nein, heute Abend wird gelesen."
„Miri, ich habe für die Auseinandersetzung mit den Medien eine Zwei bekommen."
„Dann hat sich ja unsere gemeinsame Arbeit gelohnt."
„Wir sollten losfahren", drängte Emma. „Wir haben das Auto noch in Heitersheim stehen."

10. Lebensphasen

Dienstagnachmittag besuchten Sabine und Richard das Altenheim Birkenwald in Grünlingen. Miriam begleitete sie. „Barbaras Mutter lebt gern hier. Sie ist geistig fit und nimmt an vielen Angeboten des Hauses teil."
Sie wurden in das Büro der Heimleiterin Frau Maurer geführt. „Familie Schuhmann?" Sie lächelte Miriam an. „Wir kennen uns vom Sehen."
„Schuhmanns sind meine Schwiegereltern und ich habe meinem Mann dieses Haus empfohlen."
„Das ist nett von Ihnen. Bei uns können Sie unterschiedliche Leistungen buchen je nach Zustand eines Patienten. Doch lernen Sie zuerst unser Heim kennen." Sie griff zum Telefon. „Herr Dunke, könnten Sie bitte zu einer Hausführung vorbeikommen? – Nachher treffen wir uns wieder hier und Sie entscheiden, ob Sie die Eltern auf die Warteliste setzen lassen."
Zwanzig Minuten dauerte die beeindruckende Führung. Sie sprachen mit Personal und Patienten, sahen die Aufenthaltsräume, die Turnhalle und Kapelle. In einem Vortragsraum saßen Bewohner auf Stühlen oder im Rollstuhl und sangen begeistert Lieder aus früheren Zeiten. „Muss i denn, muss i denn zum Städtele hinaus" wurde in verschiedenen Tonarten geschmettert. Die Demenzstation im Obergeschoss besaß einen riesigen Balkon mit Pflanzen, auf dem Bewohner mit oder ohne Rollator spazierten. Teils blickten sie freundlich, teils apathisch

vor sich hin.
„Haben Sie meinen Mann gesehen?“, fragte eine Frau Sabine.
„Leider nein!“
Herr Dunke erklärte: „Die Dame ist vor drei Jahren mit ihrem Mann eingezogen. Leider ist er vor einem Jahr verstorben. Jeden Tag fragt sie nach ihm, weil sie es vergessen hat.“
Mit Barbaras Mutter unterhielten sie sich kurz. „Kommt bald wieder!“, rief sie ihnen nach.
Richard war von den Einrichtungen des Hauses und der Grünanlage mit dem kleinen Springbrunnen und gemütlichen Sitzbänken sehr angetan.

„Unsere Eltern bräuchten eine Zweizimmerwohnung“, sagte Richard zu Frau Maurer. „Wie lange ist Ihre Warteliste?“
„Vier Leute haben sich für eine Zweizimmerwohnung beworben. Bei einem Haus mit zweiundsechzig Bewohnern kann man nie sagen, wann ein Platz frei wird. Ich empfehle Ihnen, sich noch bei einem anderen Heim vormerken zu lassen.“
Richard stupfte Sabine. „Was meinst du?“
Sie nickte zustimmend. „Bitte tragen Sie unsere Eltern in die Liste ein.“
„Wie ist deren Gesundheitszustand?“
„Unser Vater ist 88 Jahre, leicht dement, kann aber ein-

fache Alltagsdinge noch selbständig erledigen. Die Mutter ist 80 Jahre alt, topfit und versorgt ihren Haushalt alleine. Es ist ihr Wunsch, mit ihrem Mann in ein Heim zu ziehen. Sie will in Ruhe etwas unternehmen können."
„Da wird sie hier nicht viel Gelegenheit haben", gab Richard zu bedenken.
Frau Maurer holte ein Prospekt. „Sehen Sie, was wir für rüstige Heimbewohner anbieten: Tanzen mit Else, Chorsingen, Diavortrag über Neuseeland, Besuch der Straußenfarm, Ausflug zum Seepark, Turn dich fit! – Und im Städtchen gibt es einmal im Monat einen Seniorentreff mit Kino oder Museumbesuch und Kaffeeklatsch."
Sabine war begeistert. „Das ist ein abwechslungsreiches Angebot."
„Wirklich, ein interessantes Haus", sagte Richard auf dem Rückweg. „Die Leute scheinen sich wohlzufühlen und es liegt nur eine halbe Stunde von Heitersheim entfernt."
Sabine saß mit Miriam hinten im Auto. Sie erzählte vom Kunststudium und dem morgigen Ausflug nach Baden-Baden ins Frida-Kahlo-Museum. „Ich habe einen Bildband über die mexikanische Malerin. Ich bringe ihn dir nächste Woche vorbei."
„Kannst du gern machen. Auch ich fahre mindestens einmal im Jahr mit Barbara nach Baden-Baden ins berühmte Burda-Museum."
„Da komme ich nächstes Mal mit."

Abends setzte sich Richard auf das kleine Fernsehsofa, sah eine Quizsendung an und trank eine Flasche Bier. Das war eine Seltenheit, denn meist schaute er Filme an seinem Computer. Miriam kuschelte sich an ihn, strich über seine Stoppelhaare und massierte seinen Nacken. – Versuchte sie ihn wieder zu verführen? Er sollte sie nicht abweisen und unnötige Diskussionen vermeiden. Er begann die Berührungen zu genießen. Wollte er seine Ehe wirklich aufgeben? Eigentlich hatte er Gefühle für beide Frauen! Er küsste Miri flüchtig und verfolgte wieder die Sendung. „Die Städte der früheren DDR hätte ich alle gewusst!"
Sie stand auf. „Ich mache mich fertig fürs Bett. Morgen muss ich früh raus."
„Ich komme auch bald", hörte er sich sagen. Nach einem kurzen Badbesuch erschien er mit einer Lehrerzeitschrift im Schlafzimmer.
Miriam lag auf dem Rücken und starrte vor sich hin. „Du beachtest mich nicht mehr!", sagte sie.
Geht das schon wieder los, dachte er. „Einen süßen rotgestreiften Schlafanzug hast du!"
„Den hatte ich vor zwei Jahren bei unserem Mallorca-Urlaub an. Aber du schaust schon lange nicht mehr genau hin."
Er legte sich auf sie und zog sie fest an sich.
„Bitte, so nicht!"
„Willst du nun Aufmerksamkeit oder nicht?"
Trotz seinem unangenehmen Bier-Atem ließ sie seine

Nähe zu. Miriam spürte sein Begehren und es erfasste sie eine Welle der Leidenschaft. „I love you!", sagte sie leise. Sie dachte an frühere Liebesstunden, wo sie keine Minute ohne den anderen sein wollten.

Am nächsten Mittag aß sie mit Barbara und den Mädchen im Restaurant Nordsee. Anschließend schauten sie im Kino ‚die Eiskönigin'. Die Kleinen liebten den Film und besaßen dazu die Puppen Elsa und Anna, Geschirr, Kleidung und Stifte.
Abends legte sich Miriam mit einem Journal ins Bett und löschte gegen 23 Uhr das Licht. Richard war wieder kegeln. Sie dachte an den gestrigen Abend. Vielleicht hatte ihre Liebe noch eine Chance.

Jedem im Freundeskreis war klar, dass Richard und Melissa ein Verhältnis hatten. „Bitte, sprecht mit den anderen nicht darüber!", bat Richard.
Heute ließ er sich zu keinem Stelldichein mit Melissa überreden. „Morgen habe ich einen Klassenausflug zur Glasbläserei bei Todtnau."
Melissa wusste, dass ein Tag mit Schülern Nerven kostete und gab ihm einen zärtlichen Abschiedskuss.
Richard fühlte sich wie in einer Zwickmühle. Liebte er Miriam noch oder hatte er nur ein schlechtes Gewissen? Wollte er mit ihr alt werden oder war er innerlich schon entschlossen, mit Melissa ein neues Leben zu beginnen?

Zu Elisas sechzehntem Wiegenfest waren zwanzig Personen nach Freiau gekommen. Die Gäste tummelten sich auf der Terrasse, in der Gartenlaube oder an Biertischen auf dem Rasen. Elisa trug eine flotte Kurzhaarfrisur mit neu gefärbten roten Strähnen, die zum rotschwarz karierten Jumpsuit passten. Nachdem sie die Gäste mit persönlichen Worten begrüßt hatte, vernahm sie ein leises Bellen.
Daniel kam mit einem weißen Hund im Arm auf sie zu. Die Malteserhündin trug ein rosa Hundegeschirr, woran eine rosafarbene aufgerollte Hundeleine hing. Ihr Bruder setzte das bellende Hündchen auf den Boden und gab der sprachlosen Elisa die Leine in die Hand.
Margot ergriff das Wort: „Seit unser Schäferhund Bello vor zwei Jahren verstarb, hast du dir wieder einen Hund gewünscht. Doch wir wollten erst abwarten. Heute, an deinem 16. Geburtstag, vertrauen wir dir die siebenjährige Bella aus dem Tierheim an, eine liebe anhängliche Hundedame."
„Oh, vielen Dank!" Elisa streichelte das Tier, welches sie mit treuen Hundeaugen ansah. Sie nahm Bella auf den Arm. „Sei herzlich willkommen in meinem Leben! Ich werde für dich sorgen." Die Gäste klatschten begeistert. Joachim legte den Arm um sie. „Meine Jüngste, davon bin ich überzeugt. Wir erwarten, dass du dich um ihr Futter kümmerst und regelmäßig mit ihr Gassi gehst. Sie kann auf unserem großen Hof herumtollen. Doch auch

zwischen den Beeten und im Gras können Hundehäufchen unangenehm sein. Deshalb nie diese Utensilien vergessen!“ Er hielt zwei Rollen mit schwarzen und roten Hundetüten hoch. Die Anwesenden lachten. „Wie man die Hinterlassenschaften mit einer Tüte aufhebt, ohne sich zu beschmutzen, wirst du noch wissen. Nun lass dein lebendes Geschenk frei und seine neue Heimat erkunden.“
Tamara hatte sich bei Sabine eingehängt. Sie beobachteten lächelnd den kleinen Wirbelwind. „Jahrelang hast du uns wegen eines Hundes genervt, aber wir haben deinen Wunsch nicht erfüllt.“
„Macht nichts, Mama. Wo hätten wir ihn bei unseren vielen Museumsbesuchen lassen sollen?“
Miriam stimmte das Lied an: „Wie schön, dass du geboren bist, wir hätten dich sonst sehr vermisst...“, welches früher bei jedem Kindergeburtstag gesungen wurde. Auch bei Erwachsenen zeigte es oft eine rührselige Wirkung. Anschließend folgte ‚Happy Birthday‘ in verschiedenen Sprachen. Elisa hörte freudestrahlend zu.

Familie und Freunde hatten Überraschungen vorbereitet. Matthias brachte an einem Baum ein großes Plakat an, worauf die Rechte einer Sechzehnjährigen standen. Tamara und ihre Mutter spielten dazu lustige Sketche. Elisa klatschte begeistert und Bella, die wie ein großes weißes Wollknäuel neben dem Baum lag, kläffte laut. Daniel und David zeigten nun mit PowerPoint Bilder aus

Elisas Leben, die sie mit unterschiedlicher Musik untermalt hatten.
Astrid überreichte Elisa ein Rosenbäumchen und las dazu ein Rosengedicht:

Nun lass den Sommer gehen,
Lass Sturm und Winde wehen.
Bleibt diese Rose mein,
Wie könnt ich traurig sein?

Erich Himmel rief laut: „Dieser Vers ist von Joseph Freiherr von Eichendorff. Er lebte von 1788-1857 und hat wunderbare romantische Gedichte geschrieben."
Astrid schien etwas verwirrt, sprach aber weiter: „Die Rosen mögen dir Freude bereiten. Du findest sicher in eurem Garten ein Plätzchen."
„Danke Aschdrid!"
Anschließend wurde gegrillt und spätestens beim Dessertbuffet kam jeder auf seine Kosten.
Marco Walter gab mit seiner Band ein Konzert auf der Terrasse, bei dem Daniel als Schlagzeuger mitwirkte.

Matthias strich sich eine blonde Strähne aus der Stirn und nahm Elisas Hand. „Jetzt zeigen wir, was wir in unserem Tanzkurs gelernt haben!"
„Oh, damit habe ich nicht gerechnet. Auf der Wiese geht es schlecht mit meinen hohen Sandalen. Reicht der Platz auf der Terrasse?"

Die Musiker rückten zusammen und schon ertönte ein Langsamer Walzer. Die beiden tanzten danach Tango, Cha-Cha-Cha und Slowfox. Immer mehr Gäste jubelten ihnen zu.
„Alle Achtung!“, bemerkte Jogi. „Die zwei haben seit dem Abschlussball nichts verlernt.“
Schließlich rief Elisa mit hochroten Wangen: „Jetzt ist Schluss mit Tanzen! David, reichst du mir bitte die Querflöte?“ Sie gab eine Kostprobe aus ‚Tanz der Vampire‘ und bereicherte das nächste Musikstück der Band. Einige tanzten ausgelassen auf der Wiese.
Erich sagte zu David: „Ist ganz schön laut hier! Man liest von Gehörschäden, welche die Jugend bekommt. Heutzutage wird alles übertrieben! Das ständige Gedudel in den Kaufhäusern, dröhnende Musik aus den Autos und stundenlanges Fernsehen bis in die Nacht. Die Menschen werden immer rücksichtsloser. Ein Nachbar lässt seinen elektrischen Rollladen mitten in der Nacht herunter. Der könnte an die Schlafenden denken!“
„Erich, du hast recht. Doch jetzt wollen wir etwas vom Alltag abschalten und Elisas 16. Geburtstag feiern. Gern können wir ins Wohnzimmer gehen, wenn es dir zu laut ist.“

Am nächsten Morgen wachte Elisa gegen neun Uhr auf. Die Familienmitglieder waren am reichlich gedeckten Frühstückstisch versammelt. Bella saß zufrieden neben ihrem Wasser- und Fressnapf. „David ist mit ihr Gassi

gegangen und hat sie gefüttert."
„An die Verantwortung muss ich mich gewöhnen und morgens eine Viertelstunde früher aufstehen."
Jogi sagte: „Wenn es vor der Schule eng wird, können wir dich anfangs unterstützen. Notfalls darf Bella im Gelände herumrennen."
Elisa griff nach einem lecker duftenden Croissant. „Ich freue mich auf den Familientag und einen langen Spaziergang mit Bella. Matthias besucht heute seine Großeltern in Freudenstadt."
„Wir können mit Bella den Rundwanderweg machen. Nachmittags vergnügen wir uns mit Gesellschaftsspielen und abends veranstalten wir ein Hauskonzert."
Jogi gab Margot einen Kuss. „Du bist eine perfekte Planerin!"
„Küssen! Küssen!", rief Elisa laut und klatschte, wie sie es als kleines Mädchen getan hatte, wenn die Eltern miteinander schmusten.
„Die Teilnahme am Familienprogramm ist wohl nicht verpflichtend?" Daniel sah seine Eltern hoffnungsvoll an.
„Natürlich nicht! Du kannst dich deinem Roman widmen. Wer geht mit zur Wanderung?"
„Ich!", sagte David. „Doch beim Spielen klinke ich mich aus. Ich will später in Bibel TV die Sendung *Vernunft und Glauben* anschauen."
Daniel griff nach seinem dritten Brötchen. „Mama, ich bleibe hier, denn Astrid kommt nachher."

„Junge, du hast zugenommen und solltest dich mehr bewegen. Du kannst uns häufiger bei der Landwirtschaft unterstützen."

Am strahlend blauen Himmel zeigten sich Schönwetterwölkchen. Elisa hielt Bella an der langen Leine, ließ sie aber später auf den Waldwegen herumtollen.
„Sei vorsichtig, wenn alleinlaufende Hunde entgegenkommen!"
„Die meisten wollen sich nur beschnuppern und die Kleinen kläffen aus Angst."
Daniel und Astrid hatten für die Wanderer Salate und Brezeln gerichtet.
„Hallo Aschdrid", grüßte Elisa. „Machst du nachher mit uns Gesellschaftsspiele?"
„Ja gern. Daniel ist von seinem Roman kaum wegzubringen." Sie strich den schwarzen Minirock glatt und schüttelte ihr langes blondes Haar.
Bella schnupperte in Richtung Tisch und wollte mehrfach zum Sprung ansetzen.
„Stopp!", befahl Elisa streng. „Du hast zwei Körbchen. Tisch, Sofa und Bett sind tabu!"
Bella legte sich hin und machte keinen Mucks mehr.

Am 14. Juni abends schrieb Elisa in ihr Tagebuch:

Gestern hatte ich einen wunderschönen Geburtstag. Etwas Großartiges ist geschehen: Ich habe Bella, eine kleine Malteserhündin, bekommen. Sie ist mir nach einem Tag schon ganz vertraut. Heute sind wir mit ihr gewandert.
Mit der Familie haben wir gegessen und lange gespielt. Abends gab es ein Hauskonzert. Dieses Mal durfte ich mit der Querflöte den Ton angeben.
Jetzt mit sechzehn Jahren fühle ich mich fast erwachsen. Ich kann endlich den Moped-Führerschein machen und die Pille nehmen.
In Matthias bin ich sehr verliebt. Wann werden wir das erste Mal intim sein? Bisher habe ich es noch verhindert. Wie lange noch? Bin ich jetzt reif dazu? Matthias, ich sehne mich nach dir!
Sie schloss ihr buntgeblümtes Tagebuch ab und legte den kleinen Schlüssel zurück in die Schmuckdose.

Elisa wollte für die Religionsarbeit zum Thema *Weltreligionen* abgefragt werden. So fuhr Miriam Mitte der Woche wieder zu Burgers nach Freiau.
„Ich nehme die Fragen aus deinem Heft. Was verbindet die drei monotheistischen Religionen?“
„Juden, Christen und Muslime glauben an einen einzigen Gott und für sie ist Jerusalem eine heilige Stadt.“

Gemeinsamkeiten und Unterschiede konnte Elisa fließend vortragen.

„Nun zu den Vielgottreligionen Buddhismus und Hinduismus: Wie kam Prinz Siddhartha Gautama, der um 566 vor Christus geboren wurde, zu seinem Namen *Buddha* und was bedeutet er?“

„Das heißt: der Erleuchtete oder Erwachte! Es wird von vier Ausfahrten erzählt, bei denen er einem Asketen, einem Greis, einem Kranken und einem Toten begegnet ist. Er hat nach Jahren der Meditation sein Leben radikal geändert und ist Wandermönch geworden.“

„Unter einer Pappelfeige, dem sogenannten Buddha Baum hat er das Erwachen erlebt. Der Baum wird 30 m hoch und kann 3000 Jahre alt werden.“

„So genau müssen wir das nicht wissen!“ Sie fuhr fort: „Der Buddhismus setzt sich mit dem menschlichen Leid auseinander und nennt Wege, wie man es überwinden kann. Der achtteilige Pfad, auch als Rad dargestellt, enthält positive Forderungen wie: rechtes Reden, Verhalten, Achtsamkeit, rechter Entschluss ...“

„Gibt es Parallelen zwischen Hinduismus und Christentum?“

Elisa erklärte, dass die Erlösungswege der selbstlosen Tat, Gottesliebe und das Praktizieren von Joga und Meditation einige Übereinstimmungen haben mit Jesu Lehren und den Zehn Geboten. Sie nannte die drei Hauptgötter Brahma, Shiva und Wischnu, sprach über den 2500 km langen heiligen Fluss Ganges und erklärte den

Unterschied zwischen Nirwana und dem Reich Gottes. „Was weißt du zum Zusatzthema *Jesusworte*?“

„Ich bin alle Tage bei euch bis ans Ende der Welt. Ich bin der Weg, die Wahrheit und das Leben. Ich bin das Licht der Welt. Ich bin der gute Hirte. Was ihr dem Geringsten meiner Brüder getan habt, das habt ihr mir getan. Wer ohne Sünde ist, werfe den ersten Stein...“

„Es reicht, Elisa! Du bist bestens vorbereitet.“
„Miri, danke für deine Geduld! Dann wird morgen alles klappen.“ Sie zögerte. „Findest du, dass Matthias zu mir passt? Hat er nicht süße blonde Locken?“
„Ja, ein netter Junge und ihr zwei wirkt sehr verliebt.“
„Meinst du, dass ich für das erste Mal noch zu jung bin?“
„Bedrängt er dich oder hast du das Gefühl, dass du ihm deine Liebe beweisen musst?“
„Nichts von beidem. Doch er möchte jetzt dauernd Zungenküsse.“
Miriam schmunzelte. „Wichtig ist, dass ihr über diese Dinge offen redet. Du musst dich auch mit dem Thema Verhütung auseinandersetzen und vielleicht die Pille nehmen. Ich rate dir, damit noch etwas zu warten.“
„Wie alt warst du beim ersten Mal?“
„Es war mit Richard und ich war neunzehn Jahre. Ich fand es früh genug.“
„Okay. Ich werde mit Matthias reden. Danke für deinen Rat.“

„Jederzeit wieder gern." Miriam überlegte, ob das Abfragen für Elisa ein Vorwand war, um über Sexualität zu sprechen.
Bella schlief neben Margot im Wohnzimmerkörbchen. „Elisas Religionswissen ist beeindruckend. Da habt ihr sicher einen Teil dazu beigetragen."

Als Miriam ihre Blumen goss, die durch die heiße Sonne die Köpfe hängen ließen, stand Klaus Polomski am Gartenzaun. „Hallo, Nachbarin, kommst du nächsten Samstag mit Richard zu meinem 70. Geburtstag?"
„Bei mir klappt es auf jeden Fall. Meinen Mann muss ich noch fragen. – Ich habe in der Zeitung gelesen, dass du mit deinem Buchverlag Talente fördern willst."
„Ja, ich möchte ihnen eine Chance geben. Doch es ist auch Eigennutz dabei, denn ich habe selbst unveröffentlichte Manuskripte in der Schublade."
„Tamara, die Nichte meines Mannes, schreibt Gedichte und kleine Geschichten."
„Bring sie am Samstag mit, sie soll einige Texte einstecken."
„Ich gehe zu Polos Geburtstagsfeier", sagte Richard. „Er ist ein guter Nachbar und alter Freund, mit dem wir Kräuter- und Pilzwanderungen unternommen haben."
„Als geprüfter Pilzberater hat er oft giftige Exemplare rechtzeitig aus den Körben entfernt."

Polos 70. Geburtstag ging fröhlich über die Bühne. Miriam brachte mit Lachs, Wurst und Käse belegte Häppchen und schenkte ihm einen Theatergutschein. Als es ruhiger wurde, überreichte Tamara ihm eine Mappe mit ihren Werken. Er notierte ihre Telefonnummer und rief schon am nächsten Tag an.
„Mädchen, du hast Talent! Wenn wir genügend Gedichte und Geschichten haben, kann ich ein Büchlein herausbringen.“

11. Entdeckung

Die Sommerferien rückten näher. Miriam und Richard hatten Korrekturen, Konferenzen und Elterngespräche. Sie verbrachten kaum Zeit miteinander.
Richard und Melissa trafen sich häufiger an abgelegenen Baggerseen, wo sich beide unbeobachtet fühlten. Richard wollte seine Freundin auf keinen Fall aufgeben, auch wenn er gern an das letzte Zusammensein mit Miri dachte.

Miriam fuhr mit dem Rad an Richards Gymnasium vorbei und hielt an. Da stand sein Auto, aber sonst war der Parkplatz fast leer. Die Konferenz musste vorbei sein. Sie sah zum Lehrerzimmer im zweiten Stock hinauf und erblickte eine Frau am Fenster, die ihren Lippenstift nachzog. Ein Mann legte den Arm um sie. Es war eindeutig Richard! Schnell verzog sie sich hinter ein Gebüsch. – Was sollte sie tun? Weiterfahren, ihn heute Abend zur Rede stellen oder in die Schule stürmen und die Rivalin an der Gurgel packen? In ihr tobten Eifersucht und Wut. Warum hatte der Feigling die Beziehung nicht zugegeben? Wollte er sie nicht verletzen?
Nach einigen Minuten, die ihr wie eine Ewigkeit erschienen, betraten die beiden Arm in Arm den Schulhof. Miriam konnte sich nicht zurückhalten. Energisch lief sie auf Richard und seine Begleiterin zu.
Richard stammelte: „Miri, was machst du denn hier?“

„Das wollte ich dich auch fragen! Ist eure Konferenz vorbei?“
„Heute traf sich nur das Stundenplanteam mit Melissa und Herrn Wagner.“
„Der scheint über euch zwei Bescheid zu wissen und manche anderen Leute auch.“
„Die Ehefrau erfährt es oft als letzte“, sagte Melissa forsch und machte keine Anstalten, Richards Arm loszulassen.
Miriam lächelte kalt. „Bist du auch über unsere intime Zweisamkeit informiert?“
Melissa sah Richard irritiert an. „Hast du noch etwas mit ihr?“
„Wenn ihr denkt, dass ich auf dem Schulhof mein Liebesleben diskutiere, muss ich euch enttäuschen. – Miri, es tut mir leid, wir reden später in Ruhe.“
Melissa, in einem hauchdünnen weißen Sommerkleid, verzog gekränkt den geschminkten Mund. „Richard, lass uns gehen!“

Wie in Trance radelte Miriam nach Hause und ließ dort den Tränen freien Lauf. Irgendwie fühlte sie sich erleichtert, denn jetzt wusste sie Bescheid. Sie versuchte bei *Wer wird Millionär* zu entspannen, doch es gelang ihr nicht.
Als Richard gegen 22 Uhr an die geschlossene Wohnzimmertür klopfte, öffnete sie zögernd.

Ihre Aussprache enthielt gegenseitige Vorwürfe, Beleidigungen und tiefe Trauer über die verloren gegangene Liebe. Sie sagte, dass sie in den letzten Jahren oft unglücklich war und sich wie das fünfte Rad am Wagen fühlte. Doch sie hätte Hoffnung gehabt, dass sie sich wieder annähern würden.
Richard nahm Miriam in den Arm. Sie konnte ein lautes Schluchzen nicht unterdrücken.
„Ich werde in den Sommerferien zu Melissa ziehen."

Miriam verrichtete mechanisch ihre täglichen Pflichten und versuchte die letzte Schulwoche gut hinter sich zu bringen. Richard sah sie selten. Wenn er etwas aus der Wohnung holte, war er gleich wieder verschwunden. Margot und Jogi nahmen sich Zeit für sie. Ihr Bruder meditierte mit ihr. „Du musst wieder zur inneren Mitte finden!"
David lud sie am Sonntag zu einem Orgelkonzert ein. Während Miriam der Musik lauschte, dachte sie an ihre Mutter, die durch festen Glauben ihr Leben gemeistert hatte. Miriam fühlte sich Gott manchmal näher, dann wieder ferner. Meistens besuchte sie am Wochenende den Gottesdienst. Der Empfang der Kommunion gab ihr Kraft für den Alltag.
Barbara meinte, im Nachhinein sei manches Schicksal für etwas Anderes gut. Jetzt stand sie mit einem Schälchen Erdbeeren vor der Tür.
„Lecker, vielen Dank! Komm herein!" Miriam griff nach

einer saftigen großen Erdbeere.
Ihre Freundin begann wie ein Wasserfall zu reden, was ungewöhnlich war. Sie erzählte von den Jung-Mädchen, ihrer Arbeit als Kosmetikerin und ihren Urlaubsplänen.
„Ich habe mit Alois Weber eine Busreise an die italienische und kroatische Adria gebucht. Wir besuchen auch den Nationalpark Plitvicer Seen. – Komm doch mit! Wir können anfragen, ob es im Bus noch freie Plätze gibt."

Miriam schwirrten Gedanken durch den Kopf. Diese Reise wäre eine willkommene Abwechslung. „Ich will euch nicht zur Last fallen, ihr braucht Zeit füreinander."
„Die haben wir doch. Ein paar Singles sind sicher dabei. Es gibt sicher ein tägliches Programm mit Besichtigungen, Wanderungen und sicher auch ein leckeres Essen."
Bei den Schülern würde sie das häufige *sicher* als Wiederholungsfehler anstreichen. Doch bei Babsy klang es liebenswert. Sie wollte nur Zuversicht ausdrücken.

Bald darauf war die zehntägige Reise gebucht, die in zwei Wochen beginnen sollte.
Abends rief Sabine an und wollte Genaueres über die Trennung von Richard wissen.
„Am Telefon möchte ich nicht darüber reden."
„Wie wäre es morgen mit einem Frühstück bei mir? Ich muss erst mittags zur Kunstakademie und du hast deinen freien Tag."

„Okay. Ich bringe frische Brötchen und ein Glas Quittengelee von meiner Mutter mit."

Der Esstisch in Brauns Wohnzimmer war gedeckt. Ihre Schwägerin hatte ein bisschen aufgeräumt. Doch ringsherum lagen Kisten mit Büchern und Blättern. Sabine schlug vor, zuerst in Ruhe zu frühstücken, bevor das Gespräch auf Richard käme. Sie erzählte heitere Episoden aus dem Studienalltag und schaffte so eine entspannte Stimmung. Nachdem sie von ihrem Museumsbesuch in Baden-Baden und einem Spaziergang in der Lichtentaler Allee geschwärmt hatte, rannte sie hinaus und kam mit dem Bildband von Frida Kahlo zurück.
Miriam betrachtete die großen bunten Farbtafeln, die vorwiegend Selbstdarstellungen und Stillleben zeigten. Sie las: „Kahlos Leben bewegte sich zwischen Verzweiflung und Erfolg und war geprägt von Leidenschaft und Leiden. Sie hinterließ anmutige Werke, aber auch Gemälde mit Mordszenen und die Darstellung einer ihrer Fehlgeburten."
„Ich wusste nicht, dass die Künstlerin einen deutschen Vater aus Pforzheim hatte und dass sie bisexuell war. Frida Kahlo litt zeitlebens an den Folgen einer Kinderlähmung mit sechs Jahren und eines schweren Verkehrsunfalls mit achtzehn Jahren. Nach vielen Operationen verbrachte sie die letzten Jahre im Rollstuhl und starb mit 47 Jahren an einer Lungenentzündung."
„Das ist ja schrecklich!"

„Nun kommen wir zu deiner aktuellen Biografie."

Miriam erzählte von ihrem Verdacht, dass Richard eine Geliebte hätte. „Daniel hat ihn neulich im Kino mit einer jüngeren Frau gesehen. Er hat es jedoch sehr verharmlost. Letzte Woche erwischte ich die beiden vor Richards Gymnasium. Er will schon in den Ferien zu Melissa ziehen."

Miriam schossen Tränen in die Augen, als Sabine tröstend den Arm um sie legte. „Zum Glück bin ich durch meinen Beruf als Lehrerin unabhängig, habe einen großen Freundeskreis und meine Hobbys. Ich brauche weder sein Geld noch sein Mitleid. Doch auch in einer unglücklichen Beziehung kann eine Trennung weh tun. Wir haben eine lange Zeit miteinander verbracht."

„Du bist eine starke Frau und die Affäre meines Bruders sollte dich nicht aus der Bahn werfen. Er war nie das einfühlsamste Wesen. Schon als Kind schob er immer die Schuld auf mich, wenn wir etwas ausgeheckt hatten. Sein Egoismus brachte mich oft auf die Palme. Versuche ihn loszulassen und ihm aus dem Weg zu gehen. Ich hoffe, unsere Freundschaft bleibt bestehen. Tamara wird ein Bindeglied zwischen uns sein. Du bist für sie wie eine zweite Mutter."

„Ich habe mich spontan für eine Busreise mit Babsy und Alois an die Adria entschieden."

„Eine gute Idee! – Hier, nimm den Bildband von Frida

Kahlo mit! Trotz ihrer Schicksalsschläge ließ sie sich nicht unterkriegen."

Miriam und Joachim hatten die Schlüssel des Elternhauses den Käufern übergeben. Die notariellen und finanziellen Geschäfte waren abgewickelt. Mit Jogi einigte sie sich, verschiedene soziale Einrichtungen durch Spenden zu unterstützen.
Elisa streichelte Bella gedankenverloren, als Miriam vor der Reise vorbeikam. „Lasst ihr euch jetzt scheiden?"
„So etwas sollte man nicht überstürzen."
„Scheidungen werden oft erst eingereicht, wenn einer der beiden wieder heiraten will. Sie kosten Geld und Nerven", meinte Daniel.
Joachim sah seinen Sohn aufmerksam an. „Haben wir hier einen Fachmann?"
„Astrid spricht manchmal über die Trennung ihrer Eltern, die sie bis heute belastet. Menschen entwickeln sich weiter und leben sich häufig auseinander."
„Deshalb sollte man seine Frau auf Händen tragen! Dann kann man wie wir die Silberhochzeit und hoffentlich auch die Goldene Hochzeit erreichen."
Margot sah ihren Mann verliebt an und Miriam spürte Wehmut. Wenigstens war ihr Bruder mit seiner Familie glücklich.

David verabschiedete sich. „Ich muss fürs Seminar wieder einen Text als Gesprächsgrundlage schreiben. Das

Thema ist *die Achtung!*"
„Interessant. Ich komme nachher zu dir hoch. – Daniel, was macht dein spannendes Buch?"
„Ich habe es fertiggelesen und einem Freund weitergegeben. Jetzt reicht es mir erst mal mit der Lektüre. – Ich werde gleich mit Astrid schwimmen gehen."
„Das tut dir gut, Bruderherz! – Miri, in der Religionsarbeit habe ich eine 1* bekommen."
„Das habe ich erwartet. Ist in Deutsch alles klar?"
„Die Arbeiten sind geschrieben. Mit den mündlichen Beiträgen müsste ich wieder die Note zwei bekommen. Wir sind nur drei Sechzehnjährige in der Klasse. Eigentlich könnte ich schon den Realschulabschluss machen."
„Du kamst erst mit sieben Jahren in die Schule, weil du schwach und untergewichtig warst."
„Davon ist heute nichts mehr zu merken!"
„Ich gehe jetzt zu David ins Zimmer. Bis später!"

Miriam las, was ihr Neffe geschrieben hatte:

Die Achtung

Das Wort Achtung hat in der deutschen Sprache eine doppelte Bedeutung. Der Ausruf ‚Achtung' wird im Sinne von aufpassen, auf etwas achtgeben verwendet. Die zweite Bedeutung ist die Achtung, die man einem Menschen entgegenbringt.

Diese Art der Wertschätzung gehört nicht zu den Tugenden unserer Zeit. Junge Leute missachten manchmal ältere gebrechliche Menschen, anstatt ihnen gegenüber hilfsbereit zu sein. *Die Ellbogen-Mentalität ist angesagt. Das Schicksal des einzelnen interessiert nicht, Hauptsache man kommt selbst auf seine Kosten. In unserer Welt fehlt die Achtung gegenüber menschlichem Leben allgemein. Überall gibt es Krieg, Leid, Mord und Totschlag.*

Im August 2018 gründete die 15-jährige Schwedin Greta Thunberg die Umweltschutzbewegung: Fridays for Future und trat für das Klima in den Schulstreik. Das hat die Jugend aufgerüttelt. Denn jeder wünscht eine gesunde Zukunft für sich und seine Kinder.
Obwohl wir nicht fehlerlos sind, sollten wir uns auch selbst achten. Wer mit sich unzufrieden ist, lässt am anderen kein gutes Haar. Selbstachtung ist ein wichtiger Schritt auf unserem Weg zur Selbstsicherheit.

Miriam klopfte David anerkennend auf die Schulter. „Du wirst ein verständnisvoller Theologe werden."
„Ich glaube, ich bin ein kleiner Philosoph."
„Dann hast du die richtige Selbstachtung." Beide lachten.
„Ich mache mich nun auf den Heimweg und wünsche dir schöne Sommerferien."
„Und dir eine erlebnisreiche Reise an die Adria."
Elisa umarmte ihre Patentante fest. „Ich wünsche dir

viele nette Bekanntschaften und glückliche Momente im Urlaub. Auch herzliche Grüße von Matthias. Er hat heute ein Mannschaftsspiel vom Basketball."

Margot säuberte die Blumenbeete und erschien in einer grünen Gartenschürze. „Tschüs, Miri! Vielen Dank für die Unterstützung unserer Sprösslinge! Erhol dich gut!" Jogi, den ein Stallgeruch umwehte, drückte ihr schmatzend einen Kuss auf die Wange. „Tschau, meine Liebe. Melde dich, wenn du mich brauchst!"

12. Sommerferien

Die letzten Schultage vergingen im Flug und die Vorfreude auf die Adria-Reise nahm zu.
Miriam schlief am ersten Ferientag bis zehn Uhr. Gleich nach dem Frühstück packte sie ihre Schultasche aus. Einige Unterlagen wurden entsorgt, manches in entsprechende Ordner einsortiert.
Richard kam zwei Tage später mit einem kleinen Möbelwagen. Aus seinem Arbeitszimmer holte er den Schreibtisch mit Stuhl und Lampe, Bücherregal und einige Kisten mit Büchern und Ordnern. Sonst nahm er nur zwei Kleiderkoffer, Taschen und sein Fahrrad mit. „In Melissas Wohnung ist wenig Platz, der Rest bleibt zunächst hier."
„Du hast ja einen Hausschlüssel. Doch melde dich bitte vorher an. Ich habe auch ein Privatleben und will nicht erschrecken, wenn du plötzlich vor mir stehst."

Auf die Fragen der Nachbarn antwortete sie freundlich, ihr Mann sei ausgezogen. Geschwätzt wurde sowieso. Nur Polo vertraute sie sich an. Er schlug vor, ein Büchlein herauszubringen mit dem Titel: ‚Klagen einer Ehefrau', was sie jedoch ablehnte.
Liebe konnte man nicht erzwingen. Sie wollte Richard ohne Hassgefühle seinen Freiraum lassen, nichts überstürzen und zuerst einmal ihren Urlaub genießen.

Tamara und Marco kamen überraschend am Nachmittag vorbei. Sie erzählte, dass sie die Schulprojekte für die Masterarbeit erfolgreich abgeschlossen habe und die Ergebnisse noch ausgewertet werden müssen. o
„Was macht euer süßes Geheimnis? Jeder kann eure Zuneigung spüren, der euch zusammen sieht."
Marco legte den Arm um seine Freundin. „Meine Eltern wissen, dass es mir mit Tamara ernst ist. Doch bei ihr scheint es komplizierter zu sein."
Miriam schüttelte verwundert den Kopf. „Sabine ist aufgeschlossen und dein Vater als Arzt nicht hinterm Mond daheim. Was ist das Problem?"
„Sie sind dauernd beschäftigt und denken, dass ich ihnen alles Wichtige erzähle. Und jetzt bin ich schwanger!"
Miriam blickte ihr Patenkind überrascht an.
„Was soll ich bloß tun? Was wird mit meiner Abschlussprüfung?"
„Glücklich sollst du sein! Du bist 27 Jahre und hast einen festen Freund. Das Studium kannst du sicher vor der Geburt abschließen."
„Das habe ich ihr auch gesagt. Ich freue mich auf das Kind und wir schaffen es zusammen."
„Miri, erzähle es noch niemand."
„Also dein zweites süßes Geheimnis!"
Ihr Freund sah sie liebevoll an. „Tamy, möchtest du vor der Geburt noch heiraten?"
„Hoffentlich war das kein Heiratsantrag! Den wünsche

ich mir romantischer."

„Mit einem Zeppelin am Himmel und in großen Lettern: Willst du mich heiraten?"

Tamara lachte. „Warum nicht?"

„So, das war wirklich eine Überraschung. Doch jetzt habe ich bei Babsy eine Kosmetikbehandlung."

„Das hast du bei deinem Aussehen eigentlich nicht nötig. Du wirkst zehn Jahre jünger."

„Das weiß ich", sagte Miriam selbstbewusst. „Trotzdem muss man sich ranhalten. Richard hat immerhin eine Jüngere bevorzugt."

Miriam nahm pünktlich auf dem Kosmetikstuhl Platz. Geduldig ließ sie die schmerzhaften und dann entspannenden Prozeduren über sich ergehen. Anschließend bot ihr Barbara einen Cappuccino in ihrer Wohnung an. Miri staunte, dass in den beiden Zimmern nichts herumlag.

„Meine Mutter, die auch Friseurin war, achtete auf Hygiene und predigte ständig, dass Ordnung das halbe Leben sei. Wir wohnten neben dem Salon und sie half mir bei der Betreuung von Max. Mein Vater verabschiedete sich kurz nach meinem 30. Geburtstag."

„Du hast dich durchgekämpft, besitzt jetzt ein tolles Kosmetikstudio und ein aufgeräumtes Reich darüber!"

„Ich werfe alles weg, was ich nicht brauche oder gebe es einer sozialen Einrichtung. Sie holte aus dem Bücher-

schrank das Buch: *Simplify your life*. „Es enthält sinnvolle Tipps gegen das Chaos."
„Dieses Buch steht auch in meinem Regal. Doch ich bin nie über das zweite Kapitel hinausgekommen. Solange ich im Schuldienst bin, werde ich ein sogenannter Volltischler bleiben. – Fahren wir morgen mit den Mädchen zum Steinwasen-Park?"
„Natürlich! Wir haben es ihnen versprochen. Ich hole dich gegen zehn Uhr zuhause ab."

Die Sonne lachte vom azurblauen Himmel, als Miriam zu den anderen ins Auto stieg.
„Welche Tiere gibt es im Tierpark?", fragte Katrin vom Rücksitz. „Als ich mit Mama und Papa hier war, saß ich noch im Kinderwagen."
„Sie haben Rehe, Gänse, Hasen, Wildschweine und einen Pfau. Man kann mit einer Seilbahn, kleinen Booten und elektrischen Autos fahren. Es gibt einen großen Spielplatz drinnen und draußen."
„Toll!", rief Katarina begeistert. „Meine Freundin Heike war neulich auch da."
Abends nahm Alfred Jung seine erschöpften Mädchen dankbar entgegen. „Oma und Opa aus Bayern kommen am Wochenende. Sie bleiben einige Tage bei uns."
„Dann gehen wir hoffentlich wieder ins Schwimmbad", sagte Kornelia strahlend.

Melissa erlebte bei ihrem älteren Freund eine Geborgenheit, die sie bisher nicht kannte. Er erfüllte fast all ihre Wünsche und schnitt beim Vergleich mit dem egoistischen Ex prima ab. Richard fühlte sich jung und frei, wenn sie an heißen Tagen stundenlang in ihrer Wasserhängematte paddelten. Er sah die bewundernden Blicke, die auf seiner Freundin ruhten. Dreimal wöchentlich besuchte sie das Fitness-Studio. „Ich muss etwas für meine Figur tun."
„Heute bist du spät dran", empfing Richard sie eines Abends vorwurfsvoll.
„Ich war mit einigen Leuten noch in der Sauna, wenn es recht ist. Bist du etwa eifersüchtig?"
„Nein, aber ich möchte mehr Zeit mit dir verbringen."
„Du benimmst dich wie ein schmollender Ehemann. Morgen kegeln wir wieder zusammen. Also bitte übertreibe nicht. Nimm mir nicht die Luft zum Atmen!"
Richard erschrak. Diese Worte hatte er im Streit einmal zu Miri gesagt. Jetzt konnte er sie verstehen!

Margot hatte einen Picknickkorb gepackt. Sie plante mit Mann und Tochter eine Fahrradtour. Bella saß bei Elisa vorne in einem Körbchen.
„So, Helme auf und los!", kommandierte Joachim. „Wir nehmen den achtzehn Kilometer langen Rundweg und legen unterwegs Pausen ein."

Die erste Rast machten sie auf einem Bänkchen mit herrlichem Blick ins Tal. Bella sprang wild umher, wälzte sich im Gras und ließ sich dann mit hängender Zunge zu Elisas Füßen nieder. Bei der zweiten Pause in der Nähe eines Brunnens breitete Margot eine Campingdecke aus und legte die mitgenommenen Lebensmittel auf Holzteller. Als die Brote verzehrt und die Wasserflaschen aufgefüllt waren, schlug Joachim vor, ein gemeinsames Waldbaden zu machen.

„Nehmt den Wald mit allen Sinnen wahr: den Duft des Bodens und der Bäume. Ertastet Baumrinden und verbindet euch mit seinen Wurzeln. Bäume sind Kraftspender. Man kann sich anlehnen oder davorsetzen. Lauscht dem Rauschen der Blätter und achtet auf euren Atem."

Sie ließen sich unter einer großen Eiche nieder und vernahmen Joachims leise Worte: „Ich bin ruhig und entspannt. Mein Atem kommt und geht wie die Wellen des Meeres. Störende Gedanken lasse ich vorbeiziehen wie Wolken. – Bleibt etwa zehn Minuten in der Meditation."

Nach dem Waldbaden rannte die Hündin begeistert neben den Rädern her.

„Schaut, es haben sich Gewitterwolken zusammengezogen", rief Margot.

Kaum hatte Elisa Bella ins Körbchen gesetzt, prasselte der Regen herab. Sie strampelten tapfer weiter und erreichten zwanzig Minuten später völlig durchnässt ihr Landhaus.

David duschte Bella die schmutzigen Pfoten ab und rubbelte ihr Fell trocken. Dann kochte er für alle heißen Tee und Kaffee und legte Pralinen auf einen Teller.
Margot lächelte. „Bist eben eine gute Seele!“

Als Jogi seiner Frau einen innigen Gute-Nacht-Kuss gab, bedankte sie sich für den schönen Tag. „Heute kann ich gut schlafen.“
Sie sprachen ein gemeinsames Gebet. Jeder zeichnete danach dem anderen ein kleines Kreuz auf die Stirn.

13. Reise nach Italien

Joachim brachte seine Schwester frühmorgens zum Busbahnhof. Sie fand ihren Einzelplatz neben Barbara und Alois und konnte sich gut über den kleinen Gang verständigen. An unterschiedlichen Haltestellen stiegen Reisende zu. Ein großer Mann mittleren Alters grüßte freundlich und setzte sich eine Reihe vor sie. Es gab also mindestens einen Single.
Miriam sah durchs Fenster in den dämmernden Morgen. Als es hell genug war, holte sie ein Buch aus dem Rucksack: *Wenn das Leben dir eine Zitrone gibt, frag nach Salz und Tequila* von Sonya Kraus. Sie hatte es in einem Bücherschrank entdeckt. Die Fernseh-Moderatorin bot Strategien gegen Durststrecken des Alltags an. Miriam begann mit dem Kapitel: Lästern macht hässlich!

Die Busfahrt mit den einundzwanzig Teilnehmern verlief gemütlich. Sie fuhren durch die Schweiz zur italienischen Grenze, wo der neue Busfahrer Roland Becker und ein Reiseführer zustiegen. „Bis Ancona fahren wir noch 500 Kilometer. Dort beziehen Sie Ihr Hotel, in dem Sie fünf Tage wohnen werden. Auch wenn wir spät ankommen, erhalten Sie ein Abendessen. – Wir begrüßen nun herzlich unseren Reiseführer Bastio, der Ihnen Informationen zum Programm geben wird.“ Es wurde laut geklatscht.

Miriam notierte auf einem Block Stichworte zur Busfahrt. Bei der nächsten Rast stellte sich der einzelne Herr als Julian Wesel vor und bot ihr das Du an.
Das viergängige Abendessen im Hotel war exzellent. „An den anderen Tagen gibt es ein Buffet“, teilte der Restaurantleiter mit.
Ein gemütliches Zimmer, dachte Miriam noch und fiel todmüde ins Bett.

Nach Frühstück und Sektempfang gab es eine Führung durch den Wellness-Bereich, der ein Schwimmbad mit Außenbecken und Sauna besaß.
Bei der anschließenden Busrundfahrt durch Ancona erklärte Bastio die Sehenswürdigkeiten der Stadt. *„Die Hauptstadt der Region Marken hat über 100.000 Einwohner. Der Name Ancona kommt aus dem Griechischen und bedeutet Ellbogen. Hier im Stadtzentrum sehen Sie den berühmten Brunnen, die Fontana del Calamo, mit mythischen Masken aus Bronze…“*
Auf dem Rückweg zeigte Bastio den hoteleigenen Badestrand, der durch einen fünfminütigen Fußweg erreichbar war.
Miriam wollte zunächst die Annehmlichkeiten des Hotels genießen und buchte eine Massage. Alois und Barbara zog es zum Strand.
„Alois, könnte ich dein Notebook ausleihen? Ich habe unterwegs ein Gedicht geschrieben, das ich gern abtippen möchte.“

Barbara lachte. „Ganz die Lehrerin! Kannst du nicht einmal nichts tun?"
Alois kräuselte seine Stirn. „Ich habe beim Verleihen schlechte Erfahrungen gemacht. Plötzlich waren Dateien verschwunden oder verschoben. Mein Vorschlag: Ich mache dir eine freie Word-Seite auf. Da kannst du reintippen und den Text bearbeiten. Aber bitte nicht zumachen, nicht ausschalten!"
Miriam war einverstanden. Sie ruhte sich nach der Massage aus und begann dann mit dem Überarbeiten ihrer Notizen.

Eindrücke einer Busreise

Fröhliche Fahrt in der Morgendämmerung,
Nebelschwaden tanzen auf Bergeshöhen
und verhüllen sanft die erwachende Natur.
Bald reißen die dichten Wolkengebilde auf
und teilen sich in bizarre Märchenwesen.

Einige durch Felsen gesprengte Tunnel
führen uns in ängstigende Dunkelheit
und versperren den Blick auf das Licht.
Sie lassen uns staunen über die Technik
und die Schaffenskraft des Menschen.

Endlich wieder befreiende Helligkeit,
Blick auf sattgrüne Wiesen und Wälder.
Unzählige Grüntöne mit Farbtupfern

beruhigen stressblind gewordene Augen,
sind heilsamer Balsam für unsere Seelen.

Erwärmende Blumenwiesen ziehen vorbei,
winzige Dörfer mit spitzen Kirchtürmen,
kleine Seen und sich schlängelnde Flüsse.
Auf Bergkuppen grüßen Schneeflecken,
zeitlos jenseits von Lärm und Hektik.

Wir möchten unsere geheimen Träume leben,
die angenehme Seite des Daseins genießen
und den Stimmen der Zuversicht vertrauen.
In der unendlichen Weite einer Landschaft
erkennen wir erst unsere wirkliche Größe.

Kurz vor dem Abendessen holte Alois seinen Laptop ab. „Du kannst ihn gern ausleihen, wenn du dich an die Abmachungen hältst. Ausdrucken werden wir zuhause.“
„Okay!“ Miriam trug eine weiße Sommerhose und eine türkisfarbene Bluse mit Schmetterlingsärmeln.
„Schick bist du! Wir treffen uns in einer halben Stunde beim Eingang des Speisesaals.“

Ein Kellner führte sie zu einem Vierertisch.
„Wir können uns einen Überblick über das Buffet verschaffen, damit wir Vorspeisen, Hauptgänge und Dessert schneller finden“, schlug Barbara vor.
Als sie mit der Vorspeise zurückkamen, erschien Julian in der Begleitung des Reiseleiters.

„Wenn es Ihnen nichts ausmacht, würde ich Herrn Wesel gerne zu Ihnen an den Tisch setzen.“
Miriam wirkte etwas überrascht. „Selbstverständlich!“, antwortete sie.
Alois und Barbara sahen sich schmunzelnd an.
„Dann guten Appetit zusammen und einen schönen Abend. Bei Fragen wenden Sie sich an die Kellner. Die meisten sprechen deutsch oder englisch.“
„Entschuldigen Sie, ich hatte ein wichtiges Telefongespräch.“
Miriam sah verstohlen auf Julians Hände. Er trug keinen Ehering.
„Leute, wenn wir uns ständig über den Weg laufen, sollten wir uns duzen“, schlug Alois vor. Barbara und er ließen sich das Putenfleisch mit Curryreis schmecken. Sie schwärmten vom Meer und dem herrlichen Sandstrand. Miri lobte ihre entspannende Massage. „Das Öl werde ich bis morgen einwirken lassen. Dann bleibt die Haut geschmeidig!“

Am nächsten Morgen wurde eine Fahrt in das drei Kilometer entfernte Ancona angeboten. Bis zur Mittagszeit konnte man bummeln, einkaufen oder ein Museum besuchen. Julian setzte sich zu Miriam. „Ist es gestattet?“
„Gerne! Meine Freunde fahren nicht mit, sie wollen hauptsächlich Strandurlaub machen. Ich will das Archä-

ologische Museum Nationale mit den seltenen Wandmalereien besuchen und sehen, was mir noch Schönes begegnet."
„Du bist das erste Schöne, das mir heute begegnet ist! Darf ich dich wie deine Freunde Miri nennen und dir meine Begleitung anbieten?"
Miriam zögerte. Sie hatte in letzter Zeit genug Aktivitäten allein unternommen. „Wenn du nichts Bestimmtes vorhast, kannst du mitkommen. Doch du brauchst bei dem schönen Wetter keine Stunde im dunklen Museum verbringen."
„Im Dunkeln lässt sich gut munkeln!" Julian schaute so schelmisch, dass Miriam fröhlich auflachte. Es machte ihr Spaß mit ihm zu flirten.
Nach dem Museumsbesuch schlenderten sie durch das Städtchen, aßen Waffeleis und Julian besorgte verschiedene T-Shirts.
Miriam interessierte sein Privatleben eigentlich nicht. Sie wollte nur unbeschwerte Momente genießen.
„Kommst du später mit zum Strand?"
Da Barbara und Alois schon morgens aufgebrochen waren und sie gestern das Meer nur im Vorbeifahren sah, willigte sie ein.

Eine halbe Stunde später trafen sie sich am Hoteleingang. Julian trug Shorts, die seine schlanken muskulösen Beine freigaben. Miriam hatte ein blaues knielanges Trägerkleid über den Bikini angezogen.

Die meisten der Badegäste lagen auf Liegestühlen, die durch einen Sonnenschirm Schatten spendeten. Alois und Barbara beschlagnahmten zwei Liegen, räkelten sich aber auch auf Luftmatratzen in der Sonne, um sich nach dem kühlen Meerwasser aufzuwärmen.
Miriam, die lieber in Pools badete, überwand sich und rannte mit Julian in die Wellen. Als sie später klatschnass beim Platz ankamen, rubbelte Julian sie mit dem Handtuch ab. Nach dem Umziehen ließ sich Miriam mit leichten Streichelbewegungen eincremen.
„Wollen wir einen Strandspaziergang machen?“, schlug sie vor. „Unsere Sachen lassen wir bei Babsy und Alois.“
„Einverstanden! Nehmen wir den Turm da vorne als Ziel. Hin und zurück sind es vielleicht zwanzig Minuten. – Hübsch siehst du aus in dem rotschwarzen Tankini!“
Miriam wehrte sich nicht, als Julian ihre Hand ergriff. Es war idyllisch, wie das Meer rauschte und ein attraktiver Mann neben ihr herlief. Sie kicherte, wenn kühles Meerwasser über ihre Beine rieselte.
Auf dem Rückweg stieß Julian seinen Fuß an einen spitzen Stein. Er schrie vor Schmerzen laut auf. Humpelnd packte er seine Sachen am Platz zusammen. Barbara und Alois winkten ihnen vom Meer aus zu.
Miriam unterstützte ihn, bis sie beim Hotel ankamen.
„Kann ich dir etwas helfen?“
„Nicht nötig! Ich habe Wundspray und Pflaster dabei. Ruhe dich bis zum Abendessen aus!“

Miriam versank auf dem Terrassenstuhl in einer spannenden Romanhandlung. Plötzlich schreckte sie auf und sah auf die Uhr. Noch fünfzehn Minuten bis zum Essen! Ganz schnell duschen und das Fünf-Minuten-Schminkprogramm! Fast pünktlich erschien sie in einem buntgemusterten ärmellosen Kleid.
„Toll siehst du aus", sagte Julian.
„Du auch!" Er trug einen weißen Sommeranzug mit hellrotem Hemd und glänzenden schwarzen Slippers. „Was macht dein Fuß?"
„In die Schuhe bin ich reingekommen. Ich habe nur eine Schürfwunde, halb so schlimm. Den Spaziergang mit dir möchte ich auf keinen Fall missen."
Miriam schoss die Röte ins Gesicht. „Der Arme ist an einen Stein gestoßen."
„Wenn man eine Reise tut, kann man etwas erleben!", sagte Alois.
Miri wollte nicht mehr an die Bar, sondern lieber im Roman schmökern.
„Du bist eine Leseratte", stellte Julian fest. „Ich trinke mit den anderen ein Bier. Morgen Abend kommst du aber mit, versprochen? Es gibt Tanzmusik."

Sie trat auf ihren Balkon im dritten Stock. In der Ferne blinkten die Lichter der Stadt. Rauchschwaden, verhaltener Lärm und Gelächter drangen von der Außenterrasse herauf. Sie schloss die Balkontür und machte sich im Bad fertig. Im Bett schob sie zwei Kissen unter Kopf und Rücken. Nach drei Romankapiteln griff sie wieder nach dem Buch mit der Zitrone. Sie wählte das Kapitel: *Die Zutaten für unser Traumleben.* Ein Satz sprang ihr ins Auge: „Wir Frauen werden nicht älter, sondern besser!" Der Ratgeber sollte ihr angeschlagenes Selbstbewusstsein auf Vordermann bringen. – Sie sah Julian vor sich, wie er sie anlachte und ihre Hand hielt. Hatte sie sich schon zu Beginn der Reise verliebt? Oder wollte sie sich unbewusst an Richard rächen und auch eine Affäre beginnen? Sie legte das Buch beiseite und fiel in einen unruhigen Schlaf. Um drei Uhr erwachte sie und erinnerte sich an einen seltsamen Traum: Sie tanzte mit Julian auf einem Schiff im Meer, während Richard mit einem Ruderboot fröhlich winkend vorbeifuhr. Das Ganze war durchwoben mit bunten Farben, die sich im Meer spiegelten.

Als der Wecker um 7.15 Uhr schrillte, fand sich Miriam durch die heruntergelassenen Rollos nicht sofort zurecht. Sie machte eine Katzenwäsche, zog sich schnell an und lief in den Speisesaal. Um 8.30 Uhr sollte eine Fahrt in die umliegenden Berge beginnen.
„Jetzt einen Gang zulegen", rief Alois, der gerade mit Barbara an ihrem Tisch vorbeilief. Miriam stieg mit den letzten Reisenden ein und setzte sich hinter Julian. Sie legte den Rucksack auf den Nebensitz. Irgendwie fühlte sie sich ihm gegenüber hin- und hergerissen.

Reiseleiter Bastio begann sofort mit seinen Ausführungen. „Heute erhalten Sie einen Eindruck von der faszinierenden Bergwelt der Abruzzen…“
In den Fotopausen erlebten sie eine fantastische Aussicht auf das Meer. Eine Bauernfamilie verwöhnte sie in einem idyllischen Bergdorf mit eigenen Erzeugnissen. Nachmittags erreichten sie die mittelalterliche Stadt Ascoli Piceno mit 47000 Einwohnern. „Wir planen einen zweistündigen Aufenthalt. An der Piazza del Popolo hole ich Sie um 17 Uhr wieder ab.“ Jeder erhielt einen kleinen Stadtplan, auf dem die Cafés in der Umgebung eingezeichnet waren.

Bei der Abfahrt war Frau Robin unauffindbar. Niemand hatte sie in der letzten Stunde gesehen. Zwanzig Minuten später brachte sie ein Taxifahrer, der etwas Deutsch verstand. Sie hatte den Weg von einem Café nicht mehr zurückgefunden.
Manche Leute regten sich auf, weil der Zeitplan durcheinandergeraten war. Sie entschuldigte sich weinend. „Es tut mir wirklich leid! Meine Tochter leistet mir sonst Gesellschaft, aber die macht heute einen Wellness-Tag im Hotel.“
Reiseführer Bastio ergriff das Wort. „Bitte keine Alleingänge in einem fremden Land! Bleiben Sie in kleinen Gruppen oder wenigstens zu zweit zusammen. Ich bin verantwortlich, dass niemand von Ihnen verlorengeht.“

Vor der Abfahrt des Busses beobachtete Miriam kreischende Möwen, die vorbeiflogen.
„Miri?“, fragte Julian. „Wollen wir zusammensitzen?“
„Von mir aus! Ich mache aber Notizen für ein Möwengedicht und da brauche ich Ruhe.“
„Kein Problem“, antwortete Julian irritiert. „Ich habe auch ein Rätselheft dabei.“
Die Stimme des Fahrers schallte durch das Mikrofon. „Wir fahren jetzt auf die Autobahn nach Ancona und erreichen in etwa einer Stunde unser Hotel.“ Es folgte leise Unterhaltungsmusik.
Als der Bus in den Ferienort einfuhr, reichte Miriam Julian Wesel ihr handgeschriebenes Gedicht. „Es ist nichts Anspruchsvolles. Ich habe auch etwas im Handy recherchiert. Ich bin Deutschlehrerin und möchte nach den Ferien mit den Fünftklässlern Tiergedichte besprechen. Das Möwengedicht soll als Anregung dienen.“

Möwen

Lachmöwen sind die häufigsten Arten
Küstenvögel mit grauschwarzen Flügeln
Gelben oder schwarzen Schnäbeln
Und meist weißen Köpfen und Körpern

Möwen, das sind seltsame Vögel
Sie stolzieren auf ihren zwei Beinen
Springen in die wogenden Wellen
Und lassen sich von ihnen tragen

Sie sind Nesträuber und Allesfresser
Stürzen sich frech auf die Nahrung
Welche sie leicht ergattern können
Ebenso das Vesper mancher Touristen

Sie ziehen zusammen die Jungen groß
Welche ein braunes Federkleid haben
Sie passen sich den Lebensräumen an
Und fliegen hoch in den weiten Himmel

Möwen bekommen, was sie wollen
Sie schreien, kreischen und streiten
Möwen, das sind seltsame Vögel
Manche Menschen ähneln ihnen

Er gab ihr den Block zurück. „Hier, meine kleine Poetin! Du hast keine Satzschlusszeichen gesetzt."

„Die Form mit großgeschriebenen Zeilenanfängen ohne Schlusszeichen findet man auch in Gedichtbänden. Kinder können sich dabei besser auf den Inhalt konzentrieren. – Vor einigen Jahren habe ich zwei Kinderbücher geschrieben über ein Sonnenkind und eine Muschelprinzessin."

„Oh, darüber reden wir noch!"

„Wir sind da", verkündete Roland Becker durchs Mikrofon. „Ich hoffe, Sie hatten einen schönen Reisetag!" Er wies auf das Abendessen in einer halben Stunde hin. „Es bleibt noch Zeit, sich in Schale zu werfen!"

„Oder einige Seiten zu lesen!“, sagte Miriam augenzwinkernd.
„Die bezaubernde Leseratte hat mir einen Tanzabend versprochen!“

Miriam trug ein braunschwarz gemustertes Minikleid mit hochhackigen schwarzen Pumps. Mit Julian, der ihr einige Komplimente machte, klappte das Tanzen auf Anhieb. Doch beim Foxtrott mit einem Herrn aus der Reisegruppe kam sie aus dem Rhythmus. Als sie wieder mit Julian tanzte, schlang sie ihre Arme um seinen Hals und fühlte sich glücklich.
Er lud sie zu einem Glas Wein auf sein Zimmer. Während er ihr Chardonnay Blanc einschenkte, sah er ihr tief in die Augen. Sie spürte seine begehrlichen Blicke. – Nun kannst du noch verschwinden, dachte sie. Doch sie setzte sich zu ihm auf das große Doppelbett.
Julian begann ihren Nacken und den oberen Rücken zu kneten. „Zieh dein Kleid aus! Dann kann ich dich besser massieren.“ Er half ihr aus dem Minikleid und sie lag in schwarzer Spitzenunterwäsche vor ihm. „Du bist eine Augenweide!“ Mit geschickten Händen glitt er über ihren Körper und spürte manche verspannte Stelle auf. Er zog sein schwarzes Hemd aus und Miriam massierte ihm den Rücken. Dann schmiegten sie sich fest aneinander.
„Du bist eine wunderschöne Frau und hast unten am Rücken süße Grübchen.“
„Das habe ich seit meiner Jugend nicht mehr gehört.“

„Man soll dem anderen das Positive sagen, was er hat und nicht das Negative."
„Das ist eine bewährte pädagogische Lehre, die wir Erzieher nicht immer berücksichtigen." Plötzlich dachte Miriam an die Schule und das ernüchterte sie.
Seine Hände glitten zu ihren Schenkeln hinab.
„Nein!", sagte sie entschlossen. „Es tut mir leid, ich will das nicht."
Sie zogen sich an und er brachte sie auf ihr Zimmer. „Gute Nacht, Miri. Schlaf gut!"

Am nächsten Morgen trafen sich zehn Leute zu einer angebotenen Wanderung.
Barbara und Alois standen vor dem Hotel, als Miriam mit einem Vesperrucksack erschien. „Geht Julian nicht mit? Ihr habt gestern so toll getanzt. Habt ihr gestritten?"
„Nein, das nicht. Es geht mir nur alles zu schnell! Ich bin kein Typ für einen One-Night-Stand!"
„Da tust du Julian unrecht. Er sagte doch, dass er eine Frau sucht, mit der er zusammenleben möchte."
„Er ist ein netter Kerl. Die sechs Jahre jünger sind kein Problem. Ich weiß nicht, ob ich eine Beziehung will. Ich fühle mich in Julians Nähe sehr wohl, andererseits habe ich einige Bedenken. Ich lasse die Tage nun einfach auf mich zukommen, wir haben ja erst Halbzeit. "

Während ihre Freunde den Nachmittag am Meer verbrachten, bevorzugte Miriam wieder die Annehmlichkeiten des Hotels. Sie entschied sich für den wärmeren Swimmingpool und wollte in Ruhe lesen und entspannen.
Julian Wesel blieb im Hotel, um einige Telefonate zu erledigen und seine Fotos herunterzuladen. Als Miriam nach einer ausgiebigen Schwimmrunde erhitzt aus dem Pool stieg, erblickte sie ihn mit einer Zeitschrift auf einem Liegestuhl. Grüßend lief sie an Julian vorbei und wechselte in der Umkleidekabine den Bikini. Während sie ihr hellbraunes Haar zu einem Pferdeschwanz zusammenband, stand er mit seiner Badetasche plötzlich neben ihr. „Kann ich mich zu dir legen?" Seine Blicke schweiften unverhohlen über ihren Körper. „Um deine Figur kann dich manches junge Mädchen beneiden." Miriam genoss die Komplimente, auf die sie lange verzichten musste. „Du Schmeichler!" Sollte sie sich auf diesen Urlaubsflirt einlassen?
„Weißt du, ich bin seit zwei Jahren geschieden. Meine Frau ist mit einem anderen auf und davon. Unsere beiden Jungs sind oft bei mir. Seit einem Jahr unternehme ich Kurzreisen, um eine nette Partnerin zu finden. Du als Lehrerin kannst auf Menschen eingehen und würdest dich mit meinen pubertierenden Jungs verstehen."
Miriam antwortete nichts. Suchte er hauptsächlich eine Mutter für seine Kinder? Sie zog ihr Handtuch fest um

sich. „Ich werde in mein Zimmer gehen und noch etwas ausruhen. Bis später."

Zehn Minuten vor dem Abendessen klopfte Julian an die Tür. Er trug eine helle Sommerhose und ein schwarzes Poloshirt mit grauem Sakko. Miriam hatte zu ihrem gelb-weiß gestreiften Sommerkleid mit weißem Bolero passenden Schmuck gewählt.
„Du siehst zum Anbeißen aus!" Beim Essen glänzte Julian als formvollendeter Kavalier. Er rückte Miriam den Stuhl zurecht, kümmerte sich um die Getränke und entpuppte sich als humorvoller Gesprächspartner.
Abends sahen sie Dias von der kroatischen Adria.
Bastio schwärmte: „Kroatien ist ein beliebtes Urlaubsziel. Etwa zehn Millionen Menschen kommen jährlich an unsere Küste. Von über 1200 Inseln sind knapp 50 bewohnt. – Die Ancona Split Fährstrecke verbindet Italien mit Kroatien. Zuerst planten wir eine Nachtfahrt. Doch aus organisatorischen Gründen wurde die elfstündige Schifffahrt auf den Tag verlegt."
Miriam begrüßte die Entscheidung. Tagsüber konnte sie mehr sehen und die romantische Stimmung des Meeres genießen. Nachts lag sie lieber in einem gemütlichen Hotelzimmer.
„In Split beziehen Sie Ihr zweites Hotel. Es ist nach Zagreb die größte Stadt Kroatiens mit etwa 210.000 Einwohnern. Ihre Sehenswürdigkeiten werden Sie begeistern."

Zum Abschluss gab es ein kostenloses Getränk an der Bar. Bastio wurde unter großem Beifall und mit beachtlichem Trinkgeld verabschiedet.

14. Kroatische Adria

Um acht Uhr begann die Überfahrt von Ancona nach Split mit der Autofähre.
An der Anlegestelle begrüßte sie Reiseführer Adamo. Der junge schwarzlockige Kroate half den Leuten beim Einsteigen auf die Fähre. Er verwies auf den hinteren Schiffsteil, der für die Reisegruppe reserviert war.
Julian hatte neben Miriam Platz genommen. Sie konnte ihn nicht abschütteln und eigentlich wollte sie es auch nicht mehr.
Adamo sprach ins Mikrofon, um den Motorenlärm zu übertönen. „Ich lebte viele Jahre in Stuttgart. Ich freue mich, euch die nächsten Tage zu begleite. Sie wisse, es gibt Mittagsimbiss, Kaffee oder Tee mit Kuche und gegen 18 Uhr noch Abendesse. Alles wird als Buffet serviert."
Miriam lief herum und schoss Fotos mit dem Handy. „Halbzeit!", sagte Herr Keller zu ihr. „Sind Sie mit der Reise zufrieden?" Lauernd blickte er zu Julian hinüber.
„Ja, es ist ein herrlicher Urlaub. Er lenkt mich von meinem Beruf als Lehrerin ab."
„Ach, Sie sind Pädagogin?" Gerne hätte er sich länger mit ihr unterhalten. Doch seine Frau Gitte sagte ungeduldig: „Sebastian, wir wollten die Kinder anrufen. Und sie bauen gerade das Mittagsbuffet auf. Wir können uns dann gleich schon einmal anstellen!"

Miri und Julian sprachen über Familie und Hobbys und hielten sich an den Händen. Als sie gegen 21 Uhr das Hotel Seeblick in Split erreichten, verabredeten sie sich zu einem Abendspaziergang. Auf einem Bänkchen in der nahegelegenen Parkanlage küssten sie sich innig. Plötzlich spürte sie seine Hand unter ihrem T-Shirt. Miriam verdrängte moralische Bedenken. Warum sollte sie das Leben nicht genießen?
Auf dem Rückweg hielt er sie fest umschlungen. „Du bist eine begehrenswerte Frau."
Sie folgte ihm ins Zimmer, niemand war auf dem Gang. Er knabberte an ihrem Ohrläppchen und flüsterte: „Am Ohre, amore!" Wie schön war es, mit einem liebevollen Mann unbeschwert zusammen zu sein. Sie wollte sich nur noch ihren Gefühlen hingeben und blieb die ganze Nacht.

Beim Frühstück blickten sich Babsy und Alois vielsagend an. Miriams Mund umspielte ein glückliches Lächeln, das sie Julian zuwarf.
An der Stadtbesichtigung mit dem Bus nahmen alle teil. „Split, das zur Region Dalmatien gehört, bietet außer schöne Strände historische und kulturelle Sehenswürdigkeite. In wenige Minute verlasse mir den Bus, um den Palast des Diokletian kennezulerne", sagte Adamo. Es entstand eine Unruhe. Die Leute durchwühlten ihre Rucksäcke, steckten manches ins Busnetz und überlegten, ob sie die Jacken oder Schirme mitnehmen sollten.

„Im Innere der Gebäude kann es kühler werde, also vielleicht etwas Warmes mitnehme."

Adamo las aus dem Stadtführer:
„Der Palast des Diokletian wurde 1979 zum UNESCO Weltkulturerbe erklärt. Er bildet mit der Uferpromenade Riva das lebhafte Zentrum der 1.700 Jahre alten auf einer Halbinsel liegenden antiken Stadt... Unterhalb der Ostmauer des Palastes beginnt eine Uferpromenade, die mit Palmen gesäumt ist."
Er schlug das Buch zu. „In einem gemütliche Café hab ich den Neberaum reserviert."
Julian und Miriam hielten sich umschlungen.
„Da haben sich ja zwei gefunden!", sagte Herr Keller laut.
Nach der Mittagspause wartete der Bus vor dem Café. Adamo setzte seine Erklärungen fort. Sie sahen Kirchen, Plätze und Parks, die als Naherholungsort dienten. Miriams Konzentration ließ nach und sie schloss die Augen. Julian küsste sie auf die Wange. „Hast du gehört, was Adamo sagte? Wir können heute Nachmittag zu einem tollen Badestrand fahren. Sollen wir mitgehen?"
„Von mir aus!" Miriam gähnte.

Zusammen mit Alois und Babsy verbrachten sie schöne Stunden am Meer. Sie entspannten sich im Wasser und am Sandstrand und schlenderten durch Touristenläden.

Beim Abendessen im Hotel Seeblick waren die Sitzgruppen größer geworden. Miriam und ihre Freunde begrüßten am Tisch drei weitere Frauen.
Als Julian von einem Kroatien-Urlaub erzählte und kurz Luft holte, nutzte eine Dame ihre Chance. „Darf ich uns vorstellen? Ich bin Magda Robin, meine Tochter Irene und das ist Irma Bender."
Die Frau im blauen Kostüm nickte ihnen erfreut zu. Es entstand ein reger Austausch über die bisherigen Reisetage.
„Die seltsame Aussprache Adamos stört mich", bemerkte Irma.
„Als Deutschlehrerin würde ich ihn auch gern verbessern. Da er eine Weile in Stuttgart lebte, hat er den alemannisch-schwäbischen Dialekt angenommen," sagte Miriam.
„Mama, erinnerst du dich an diesen John in London? Er vermischte deutsch und englisch in einem Satz."
„Ja, den Namen hatte ich vergessen, aber..." Magda verschluckte sich an einem Stückchen Weißbrot und bekam einen Hustenanfall. Irma klopfte ihr energisch auf den Rücken.
„Alois, gehen wir den Hauptgang holen?" Barbara stand auf. Plötzlich hatte es jeder eilig, die angebotenen Köstlichkeiten zu versuchen.
Nach dem Abendessen blieben Julian und Alois zu einer Weinprobe. Barbara wollte einige Telefonate erledigen und Miriam den Roman weiterlesen.

Vierzehn Leute meldeten sich zur Fahrt in die umliegende Bergwelt. Am nächsten Morgen wurden sie auf zwei Kleinbusse verteilt, welche für die Bergfahrt mit Serpentinen besser geeignet waren.
Adamo erschien in weißem Hemd und roter Hose. „Der Hausberg von Split isch der Marjan. Sehenswert isch das Hinterland mit den Gebirge Mosor, Kozjak und dem weiter südlich liegende Biokovo Gebirge. Die Seilbahn bei Zagreb befördert in einer Stunde 1500 Passagiere. Die fünf Kilometer lange Fahrt mit zwanzig Stundekilometer dauert sechzehn Minute..."
Es wurde eine kurze Wanderung angeboten oder man konnte sich in einem Lokal mit Sonnenterrasse ausruhen.
Miriam und ihre Freunde entschieden sich für einen Spaziergang auf dem Felsenweg. Julian und sie trugen weiße Schildmützen. Barbara schützte ihr Gesicht mit einer großen Sonnenbrille und Alois mit einem Strohhut.

Nach Ankunft im Hotel blieben zweieinhalb Stunden bis zum Abendessen.
Sie wollten noch einmal den Adriastrand genießen und Alois einige Fotos schießen. Sie machten auch lustige Selfies.
Miriam beobachtete wieder die kreischenden Möwen. Als sie aus dem Rucksack Block und Kuli zauberte und sich Notizen machte, spottete Barbara: „Die Lehrerin

lässt grüßen! – So braungebrannt habe ich dich übrigens noch nie gesehen."
„Liebe wirkt Wunder!", stichelte Julian. „Kommt, wir gehen jetzt schwimmen."

Für das Abendessen wählte Miriam ihr ärmelloses buntgemustertes Maxikleid mit dem Bolerojäckchen und Julian Wesel den hellen Sommeranzug mit rotem Hemd.

Magda und ihre Tochter erschienen mit vollgeladenen Tellern. „Das Tintenfisch-Risotto wurde uns von Herrn Keller empfohlen."
Busfahrer Becker klopfte an sein Glas. „Im Namen der Reisegesellschaft möchte ich Sie nachher zu einer Abschiedsveranstaltung mit kleinem Programm einladen."
Es wurde ein vergnüglicher Abend. Bauchtänzerinnen unterschiedlichen Alters erfreuten mit erotischen Tänzen. Das Duo Alfonso und Roberto sorgte für musikalische Unterhaltung. Alfonso verzauberte am Klavier mit romantischen Melodien und Roberto schmetterte Liebeslieder in rauem Bariton.
Während Miri mit Julian durch den Saal tanzte, spürte sie Wehmut. Wenn man nur immer auf Wolke sieben schweben könnte! Doch sie wusste, dass dies Illusion war.
„Amore! Gehen wir zu dir oder zu mir?", flüsterte Julian.
„Zu dir! Ich möchte aber noch zusammenpacken, sonst wird es morgen früh knapp."

„Komm einfach, wenn du fertig bist! Denk daran für die Plitvicer Seen eine Badetasche zu richten."
In dieser Nacht erlebte Miriam leidenschaftliche und zärtliche Stunden. Als sie später Julians tiefe Atemzüge vernahm, dachte sie an ihren Mann und ihre verlorene Liebe.

Adamo verabschiedete sich beim Frühstück und erhielt auch ein reichliches Trinkgeld.
Als die einundzwanzig Reisenden im Bus Platz genommen hatten, ertönte Roland Beckers Stimme durchs Mikrofon: „Von Split zum Nationalpark Plitvicer Seen sind es über dreihundert Kilometer. Unsere Fahrzeit wird mit Pausen mindestens fünf Stunden betragen."
„Um Gottes willen!", rief Frau Robin. „Zum Glück habe ich Stützstrumpfhosen angezogen!"
„Sie buchten ein abwechslungsreiches Programm. Und ein Bus ist eben kein Flugzeug!"
Es ertönte leise Musik. Miriam las in ihrem Roman. Julian sichtete seine WhatsApp-Nachrichten. Er wollte einige der 2000 Bilder und 300 Videos im Handy löschen.

Als sie nachmittags ihr Tagesziel erreichten, wünschte Roland ihnen einen schönen Tag. „Um 17.00 Uhr werden wir hier wieder abfahren."
Reiseführer Luka begrüßte alle herzlich. „Sie haben Glück mit dem Wetter. An manchen Tagen ist es hier

windig und regnerisch." Er bat, dass die Gruppe in seiner Nähe bleiben und jeder auf sein Gepäck achten sollte. „An Orten mit vielen Menschen gibt es immer Taschendiebe."
„Wer passt auf unsere Sachen auf, wenn wir baden?", fragte Rosalinde, die ständig in ihr Handy schaute.
„In den Plitvicer Seen ist Baden strengstens verboten!"
„Wie bitte?... Man hat es uns versprochen... Wir haben extra Badesachen mitgenommen...", tönte es von allen Seiten.
„Da sind Sie leider falsch beraten worden."
Irma drohte, sich bei der Reisegesellschaft zu beschweren. „Jetzt müssen wir das Gepäck unnötig mitschleppen."
„Hat jemand die Telefonnummer des Busfahrers?"
Miriam wählte die eingespeicherte Nummer. „Hier ist Frau Schuhmann. Wir können in der Parkanlage nirgendwo schwimmen. Sind Sie noch in der Nähe? Alois ist auf dem Weg zu Ihnen!"
„Ich sehe ihn schon. – Sie dürfen die Schwimmsachen gern hinten im Wagen verstauen."
„Geben Sie mir Ihre Badetaschen!", sagte Miriam. „Wer nicht gut zu Fuß ist, kann hier warten." Zusammen mit Julian, Barbara und Irene trug sie das Gepäck zum Bus, wo Roland und Alois beim Einladen mithalfen.

Eine Viertelstunde später lauschten sie Lukas Ausführungen zum Nationalpark: „Hier wurden Karl May-Filme wie ‚der Schatz im Silbersee' gedreht. Jährlich wird der Park, der nahe der Grenze zu Bosnien und Herzegowina liegt, von 1,5 Millionen Menschen besucht. Die Seen wurden im Jahr 1979 in die UNESCO-Liste des Weltnaturerbes aufgenommen!" Er informierte über ihre Entstehung durch den Zusammenfluss von Bijela Rijeka, dem Weißen Fluss und Crna Rijeka, dem Schwarzen Fluss. Sechzehn kaskadenförmig angeordnete Seen waren durch Wasserfälle verbunden und erstreckten sich in eine Kalksteinschlucht.

„Wie heißen die Berge, die man hier sieht?", fragte Miriam.

Im Westen ist es der Gebirgszug Mala Kapela und im Osten das Pljesevica-Gebirge. Die höchste Erhebung liegt 1279 Meter über dem Meeresspiegel."

„Danke sehr! Es ist interessant, die Namen einmal zu hören. Merken kann ich sie mir aber nicht!"

„Wenigstens spricht Luka ein verständliches Deutsch", bemerkte Irma.

„Er hat zehn Jahre in Frankfurt gelebt", sagte Magda, die schnaufend neben ihr herlief.

Alois machte unzählige Fotos von der faszinierenden Landschaft. „Fleißig, junger Mann! Sie sind ja ständig am Fotografieren!"

Babsy stupste ihn an. „Hör auch mal zu, was Luka sagt."

„Im Winter liegt die durchschnittliche Wassertemperatur bei 2,2 °C und in den Sommermonaten bei 17,4 °C.

Deshalb macht Baden keinen Sinn! – Jetzt haben Sie eine Stunde zur freien Verfügung. Am Kiosk können Sie Kleinigkeiten kaufen. Das rote Gebäude da vorne ist ein Café mit genügend Sitzplätzen. Wir treffen uns um 16.15 Uhr wieder an diesem Platz."

Rosalinde rief: „Mein Handy ist weg!" Sie musste zugeben, dass es meistens hinten in ihrer Jeans steckte, obwohl Miriam sie mehrmals gewarnt hatte.
„Ganz schön leichtsinnig! Am Parkeingang gibt es ein Fundbüro. Doch ich will Ihnen keine Hoffnung machen, dass Sie das Smartphone wiederbekommen werden."
Rosalinde brach in Tränen aus. Irene tröstete sie: „Im Hotel kann man wohl vom Festnetz aus telefonieren. Doch mein Handy darfst du jederzeit benutzen."
„Jetzt lade ich euch zuerst ins Café ein!", sagte ihre Mutter Magda.
Sind ganz nette Leute, dachte Miriam und lief mit Julian zum Kiosk.
Kurz nach 16.00 Uhr trafen alle am Treffpunkt ein. Miri sammelte in einer Holzschale Trinkgeld für Luka.
„Einen Moment bitte!", rief Alois. „Ich möchte gern Gruppenfotos machen. Stellt euch zuerst unter den Kastanienbaum und dann vor den kleinen Wasserfall."
„Können wir die Fotos auch bekommen?", fragte Gitte Keller.
„Das ist sicher möglich."
Luka freute sich über das eingesammelte Geld und

machte die Aufnahmen von der Reisegruppe. „Wir laufen jetzt Richtung Ausgang. Dort können Sie noch in dem Andenkenladen stöbern und die Toiletten aufsuchen."
Pünktlich um 17.00 Uhr fuhr der Reisebus ab. Rosalindes Handy blieb verschwunden. Sie hinterließ für alle Fälle ihre Telefonnummer.

Eine Stunde später kamen sie beim Hotel an. Roland Becker verwies auf ein beheiztes Schwimmbad. „Für die frustrierten Bade-Fans! Sie haben noch genügend Zeit bis zum Abendessen."
Miriam und Julian, die ein Doppelzimmer ergattert hatten, genossen mit wenigen Gästen das warme Wasser des kleinen Swimmingpools.
Alois und Babsy blieben im Zimmer. „Wir müssen noch etwas erledigen." Barbara hatte erst vor einer Stunde erfahren, dass ihr Freund am Abend eine Präsentation seiner Urlaubsbilder zeigen wollte. „Roland hat sich um einen Beamer und eine Leinwand gekümmert. Wir können den Leuten die Bilder digital oder als Abzüge zukommen lassen."
„Eine tolle Idee! Es wurde wenig fotografiert. Aber wie sollen wir das bis heute Abend schaffen?"
„Die besten Fotos habe ich im Notebook schon in eine Datei übertragen. Wir brauchen nur die heutigen Bilder auswählen, eine Reihenfolge festlegen und alles durchnummerieren. Dann schreiben wir eine Bestell-Liste.

Hilfst du mir dabei?“
„Selbstverständlich!“ Die beiden arbeiteten harmonisch zusammen. Rechtzeitig und frisch geduscht erschienen sie zum Abendessen.
Alois stand auf. „Liebe Mitreisende! Ich habe eine Überraschung für Sie. Kommen Sie nach dem Essen in den Aufenthaltsraum. Es geht um die von mir gemachten Fotos.“

Alle erschienen. Fasziniert betrachteten sie auf der Leinwand Alois Fotoauswahl der neuntägigen Reise. Groß war die Freude über einen gelungenen Schnappschuss von sich selbst. Alois bekam stürmischen Beifall.
Bei einem zweiten Durchgang wurden die Listen ausgefüllt und mit vielen Bestellungen zurückgegeben.

15. Urlaubsende

Miriam und Julian saßen auf der Heimfahrt zusammen. Die Rucksäcke und Vesperbeutel lagen auf den leeren Sitzplätzen hinter ihnen.
Roland Becker ergriff das Wort. „Ein wunderschöner Urlaub geht zu Ende und wir fahren zurück in die Heimat. Ich hoffe, Sie haben sich gut erholt. Bewahren Sie die vielen Eindrücke in Ihrem Herzen, wobei die tollen Fotos von Alois Weber helfen können. An der italienischen Grenze verlasse ich Sie. Ich wünsche allen einen angenehmen Reisetag."
Julian hielt Miriams Hand und sprach von einem Treffen mit seinen Söhnen und einer gemeinsamen Zukunft. Miriam bekam Zweifel. Wollte sie das wirklich? War Julian ihr Traummann und sie seine Traumfrau? Sie zogen sich körperlich an, harmonierten gut und hatten viel Spaß miteinander. Aber war Urlaub nicht eine Ausnahmesituation? Was wussten sie schon voneinander? Erzählte sie von der Schule, schaltete er schnell ab. Sein Beruf als Elektroingenieur war ihr fremd. Und würde sie mit seinen Söhnen zurechtkommen? Hundert Kilometer Distanz war nicht ideal, auch wenn seine Tante Erika in der Nähe lebte.
Julian wandte den Blick vom Smartphone. „Alles in Ordnung?"
„Ich dachte gerade, ob es mit uns weitergehen wird."
„Das hoffe ich doch, wir passen wunderbar zusammen.

Die paar Jahre Altersunterschied spielen keine Rolle, amore mio!“

„Wir werden sehen. Jetzt will ich wieder in meinem Roman lesen.“ Sie war nicht weit gekommen, aber man konnte nicht alles haben! Die Zeit mit einem attraktiven 46-jährigen Mann zu verbringen war lebenswerter. – Eine weiße Kappe mit einem Zettel: *für Roland* wurde ihr zugeschoben. Sie war schon mit vielen Scheinen gefüllt. An der Grenze erhielt er die großzügige Spende und Busfahrer Reinhard übernahm das Steuer. „Durch die vorgeschriebenen Pausen werden wir erst abends zuhause ankommen.“

Doch die Rückreise verging schneller als gedacht. Julian, der wieder bei Tante Erika übernachtete, stieg mit den ersten Urlaubern aus. Nach dem Frühstück wollte er losfahren, um im Büro nach dem Rechten zu sehen.

Joachim holte Miriam am Bahnhof ab. „Willst du noch zu uns kommen?“

„Nein, ich bin sehr müde und möchte allein sein.“ Im Bett dachte sie an die glücklichen Momente, die sie erleben durfte: Schwimmen im Pool und Meer, bezaubernde Landschaften, ausgezeichnetes Essen und ein Kavalier, bei dem sie sich wieder als Frau fühlte.

„Ich habe dich vermisst“, sagte Julian, als er am nächsten Morgen vor der Tür stand. Sie liebten sich leidenschaftlich, bevor er zurückfuhr.

Während Richard seinen Rasierpinsel auswusch, fasste ihn Melissa an den Schultern und gab ihm einen Kuss. „Weißt du das Neueste?“
„Was denn?“ Er drehte sich lächelnd um. Ihre auf Schulterlänge gekürzten schwarzen Haare standen ihr gut. Seine Freundin flüsterte ihm ins Ohr. „Ich liebe dich!“ Er umfasste ihre schmale Taille und zog sie an sich. Richard war ihre Gefühlsausbrüche gewohnt, ebenso ihre Wutanfälle, wenn ihr etwas nicht passte. Bei der Aufteilung von Arbeiten im Haushalt gab es oft Streit. Richard suchte vernünftige Lösungen. Er wollte nicht wie mit Miri zermürbende Diskussionen führen. Sie zerstörten die romantischen Gefühle und die Achtung vor dem anderen. Er genoss die Freizeit mit Melissa, hatte aber ein schlechtes Gewissen, wenn er an seine Eltern dachte. Einmal die Woche nahm er sich ein Stündchen Zeit für sie, wenn Melissa im Fitnessstudio war. Hoffentlich würden sie bald einen Platz im Haus Birkenwald bekommen.

Richard telefonierte manchmal mit Miri oder tauschte sich auf WhatsApp aus. Meist ging es um banale Dinge wie eine Postsendung, ein Anruf eines Bekannten oder familiäre Angelegenheiten. Er wusste, dass sie mit Barbara und Alois eine Busreise an die Adria machte. Er bat seine Schwester, ihm Bescheid zu sagen, wenn sie vom Urlaub zurück war und bei ihr vorbeikam.
„Was soll dieses Theater? Aus euch Männern wird man

nicht schlau!“
Sie rief ihn drei Tage später an. „Deine Frau kommt morgen zum Mittagessen und Kaffeetrinken. Und denk bitte an mein Kunstbuch! Ich brauche es wirklich.“
Miriam erzählte von der Reise und ihrer Urlaubsliebe. „Bitte, sagt Richard nichts davon.“
„Mama, wie findest du meinen Freund Marco?“
In diesem Moment läutete es und Richard stand vor der Tür. Er hielt einen Bildband über Moderne Kunst in der Hand. „Hier, das gewünschte Buch aus unserer Schulbibliothek!“
„Ja danke! Miri ist gerade da, möchtest du hereinkommen?“
Schon stand er im Wohnzimmer, begrüßte seine Nichte mit einem Wangenkuss und drückte Miriam kurz. Sie blieb wie versteinert stehen.
„Hast du etwas dagegen, wenn er zum Kaffee bleibt?“
„Nein, nein, ist schon in Ordnung.“
„Blendend siehst du aus, braungebrannt, wie schon lange nicht mehr. Du scheinst dich gut erholt zu haben.“
„Ja, kann man sagen!“ Von Julian wollte sie nichts erzählen. Hoffentlich hielten die anderen dicht. „Sonst bei dir und Melissa alles klar?“
„Ja! Die letzte Ferienwoche planen wir eine Donauschifffahrt von Passau bis Budapest. Da wir uns spät angemeldet haben, bekommen wir eine Kabine ganz unten. Ich hoffe, dass es uns nicht schlecht wird.“ Er lachte laut. „Und bei dir, Miri? Was macht die Liebe?“

„Andere Mütter haben auch schöne Söhne!"
„Letzte Woche waren wir mit den Eltern im Haus Birkenwald. Es gefällt ihnen und sie möchten bald einziehen. Sie sind jetzt auf Platz drei der Warteliste."

Tamara entschuldigte sich. „Ich telefoniere kurz mit Marco."
Als Richard gegangen war, fragte Miriam: „Hast du ihm gesagt, dass ich heute komme?"
Sabine räusperte sich. „Ja, er wusste es, doch er wollte sowieso das Kunstbuch bringen."
„Wenigstens bist du ehrlich. Räuspern ist ungesund, sagt meine Logopädin. Es schadet den Stimmbändern."
Tamara kam ins Wohnzimmer zurück. Was ist ungesund?"
„Wenn man zu Heiserkeit neigt, verstärkt Räuspern das Übel."
„Apropos Übel! Zurzeit ist es mir öfters schlecht."
Miriam nickte ihr zu. „Du solltest es Sabine sagen."
„Was denn? Habt ihr Geheimnisse vor mir?"
„Mama, du weißt, dass ich mit Marco, dem Sohn von Sven Walter, befreundet bin. Ich liebe ihn und bin Ende des zweiten Monats schwanger."
Sabine fiel vor Schreck der Kuchenteller aus der Hand. „Scherben bringen Glück!", rief Miriam. Mit Schaufel, Besen und der Hilfe des Staubsaugers war der Boden bald sauber. Sie setzten sich zu Tamara aufs Sofa. „Ähm... Weiß es Papa schon?"

„Nein! Nur Miri, Marco und seine Eltern. Sie wollen uns tatkräftig unterstützen."
„Zu denen hast du mehr Vertrauen als zu uns!"
„Bei Marco zuhause ist es mir schlecht geworden, da habe ich es gesagt."
Sabine nahm ihre Tochter in den Arm. „Was ist mit dem Kunststudium? Schaffst du deine Prüfung noch?" Sie schnäuzte ins Taschentuch. „Wenn nur alles gutgeht!"
Marco, der Tamara zu einem Spaziergang abholte, sah Sabines ratlosen Blick. „Frau Braun, wir schaffen das schon! Für die Masterarbeit hat Ihre Tochter noch einige Wochen Zeit."
Miriam nickte bestätigend und verabschiedete sich.

Es dauerte eine Weile, bis Sabine sich dem Buch widmen konnte. Morgen war die Epoche ‚Moderne Kunst' Thema. Sie sollten ein Bild in diesem Malstil anfertigen. Bernd überschüttete sie mit Fragen, als er mit seiner Aktentasche hereinkam. „Was liest du Schönes? Ist unsere Tochter unterwegs und was gibt es zu essen?"
„Ich lese in einem Kunstbuch", sagte sie und lief zur Küche, um ein Abendbrot zu richten.
Bernd räumte die Stühle frei, die mit Zeitschriften, Keksen und Wäsche belagert waren. Er setzte sich mit einem alkoholfreien Bier an den Tisch. „Wie war dein Tag? Alles in Ordnung? Ist Tamara bei ihrem Freund Marco?"

Sabine entschloss sich, zuerst die dritte Frage zu beantworten. „Sie gehen gerade spazieren und vielleicht noch Minigolf spielen. Er scheint ein netter Kerl zu sein.“
„Ist eben ein Künstlertyp, der sich als Musiker durchschlägt. Muss ja nicht gleich mein Schwiegersohn werden!“ Er prostete ihr zu.
Sie erzählte von Miriams und Richards Besuch und dem Malkurs über moderne Kunst. „Ich möchte mein Studium im Frühjahr abschließen.“
„Lass dir Zeit, Sabine! Hauptsache, es macht Spaß. – Tamy ist mit ihrer Masterarbeit schon vorwärtsgekommen und wird wohl im Herbst die Prüfung machen.“
„Wir werden sehen. Wie ist es bei dir heute gelaufen?“
„Du weißt, ich habe Schweigepflicht und lege den Arzt am Kleiderständer ab. Morgen muss ich nach der Praxis Hausbesuche machen. Da kann es später werden.“
„Und ich bin abends bei Frau Feurer in der Zeichenschule. Wir verbringen immer weniger Zeit miteinander. Nicht, dass es uns wie Richard und Miri geht und wir uns auseinanderleben.“
„Das hoffe ich nicht, mein Schatz.“
„Könnten wir wieder einmal ein Gesellschaftsspiel machen?“ Sie sah ihn bittend an.
„Ich mag diese Art Spiele nicht, aber dir zuliebe! Suche etwas aus.“
„Okay! In einer Stunde? Dann kannst du die Tageszeitung fertiglesen und ich räume die Küche auf.“

Als sie eine Stunde später mit Monopoly ins Wohnzimmer lief, war Bernd auf dem Sofa eingeschlafen. Da sie keine Zeitung gelesen hatte, nahm sie vorsichtig den oberen Teil von seinem Schoß.
Bernd hörte das Rascheln, öffnete die Augen und setzte sich auf. „Ein paar Augenblicke Ruhe genügen. – Also Monopoly! Warte nur, du wirst bald bankrott sein.“

Sabine fand nicht den richtigen Moment, ihm Tamaras Schwangerschaft mitzuteilen. Und auch ihre Tochter schwieg.

16. Partnerschaft

Einige Tage später fuhren Bernd und Sabine zu einem Partner-Wochenende in den Schwarzwald. Das Thema hieß: *Zoff und Zärtlichkeit.* Erwartungsvoll bezogen sie ein kleines gemütliches Zimmer im Bildungshaus.
Man einigte sich auf das Duzen und steckte vorgedruckte Namenskärtchen an. Es hofften fünf weitere Pärchen auf Verbesserung ihrer Beziehung. Das Psychologen-Ehepaar Eva und Julius Berger erklärten den Ablauf des Wochenendes. Nachdem jeder Symbole gezeichnet hatte, welche die momentane Situation darstellten, wurden die Bilder in der Gruppe besprochen.
„Nach der anstrengenden Interpretationsarbeit gibt es eine Entspannungsübung“, erklärte Herr Berger. „Eine Person legt sich auf den Rücken. Die andere hebt abwechselnd Beine und Arme des Partners hoch, zieht leicht daran und legt sie locker wieder ab.“
Als Sabine Bernds linkes Bein anhob, verlor sie das Gleichgewicht und fiel nach hinten. Ein Mann, der den Arm seiner Freundin gerade losließ, konnte sie auffangen.
„Versucht in der zweiten Runde die Übung im Sitzen auszuführen. So besteht weniger Sturzgefahr.“ Julius sah Sabine verschmitzt an, die etwas errötete.
Bei einer Kopf- und Nackenmassage kniete man hinter dem Partner auf einem Kissen. Es war ein wohliges Seufzen und Brummen zu hören, welches durch fröhliches

Lachen übertönt wurde.
Frau Berger verteilte ein vorgedrucktes Blatt: „Eine Hausaufgabe für heute Abend! Überlegt, was ihr dem anderen schon immer sagen wolltet. Die eine Hälfte des Blattes ist für positive Aussagen, die andere für negative."
„Kann man das immer trennen?", fragte eine Teilnehmerin. „Wenn ich häufiger schwimmen gehen will, ist dies dann positiv oder negativ?"
„Auf der Blattrückseite könnt ihr neutrale Aussagen eintragen. – *Du bist ein Trottel* – ist eindeutig negativ und – *Du bist eine Granate* – ist bei positiven Aussagen einzuordnen!" Lachend liefen die Paare in ihre Zimmer.

Jetzt war Gelegenheit Bernd von Tamaras Schwangerschaft zu erzählen.
„Partnerarbeit kombiniert mit Entspannung! Das gefällt mir", lobte Bernd. „Was schaust du so skeptisch? Hast du schwerwiegende Dinge verschwiegen, die morgen ans Licht kommen? Hast du mich betrogen?"
„Nein!" Sie schüttelte den Kopf. „Obwohl ich Gelegenheit gehabt hätte! Es ist etwas ganz Anderes!" Sie sagte es so eindringlich, dass Bernd, der am Fenster stand, sich setzte.
„Unsere Tochter ist schwanger!"
Er sah sie entgeistert an. „Das ist eindeutig eine positive Nachricht."

Sabine fiel ein Stein vom Herzen. Was hatte sie erwartet? Ihr Mann, der manchem Baby auf die Welt geholfen hatte, liebte Kinder.
„Warum habt ihr mir nichts gesagt? Hat Tamara Angst vor mir? In welcher Woche ist sie denn? Will ihr Freund das Kind haben?“ Die Fragen sprudelten wieder aus ihm heraus. Er schien aufgeregt zu sein.
„Ich weiß es erst ein paar Tage. Die beiden freuen sich auf das Baby. Sie ist wohl im dritten Monat.“
Bernd sah Sabine schweigend an. Dann drückte er sie fest. „Du Geheimniskrämerin! Du wirst eine hübsche Oma sein!“ Im Bett kuschelten sie sich aneinander. Sie spürten eine intensive Nähe, die sie seelisch und körperlich vereinte.

„Hast du etwas gefunden, was du mir schon immer sagen wolltest?“, fragte Sabine am nächsten Morgen. Er kratzte sich am Kinn. „Das verrate ich nicht. Vielleicht werden die Aussagen an die Flipchart geschrieben. Bin gespannt, was die Psychologen daraus machen.“
Die Ergebnisse und Wünsche der Teilnehmer wurden in Vierergruppen besprochen. Dann zeigte Julius einen lustigen Film zu *Zoff und Zärtlichkeit.*
In der Mittagspause zogen sich Sabine und Bernd in ihr Zimmer zurück.
„So, so! Du wolltest mir immer schon sagen, dass ich wenigstens die Stühle in der Wohnung freihalten sollte. Dass du mich jederzeit wieder heiraten würdest, das

war eindeutig positiv." Sie gab ihm einen innigen Kuss.
„Das Wochenende macht richtig Spaß", gab Bernd zu.
„Dann könnten wir uns gleich für einen weiteren Beziehungskurs anmelden."
„Nichts überstürzen! – Jetzt möchte ich etwas in dem Buch lesen, welches David mir ausgeliehen hat: *Lucy im Licht.* Der Physiker Professor Niemz, ein gläubiger Naturwissenschaftler, erkennt einen Zusammenhang zwischen moderner Physik und Religion. Er beschreibt Nahtoderlebnisse von Menschen, die bedingungslose Liebe spürten und verstorbenen Familienmitgliedern begegneten."
„Davon habe ich in den Büchern von Raymond Moody und Elisabeth Kübler-Ross gelesen."
„Niemz vermutet, dass die Seelen auf Lichtgeschwindigkeit beschleunigt werden, Raum und Zeit überwinden und so in die Ewigkeit eingehen. Es gibt auch Kapitel über Quantenphysik und die Relativitätstheorie von Albert Einstein."
„Da möchte ich auch hineinschauen und sehen, was ich davon verstehe. – Wollen wir im Park eine Runde drehen?"
„Okay! Genießen wir die Zweisamkeit! Das Buch kann warten."
Zu den meditativen Tänzen am Nachmittag erschienen die meisten Teilnehmer.
Das Thema des Abends war: *Was löst in unserer Beziehung Streit aus*? Man sollte ein Einzelblatt ausfüllen und

es mit dem Partner besprechen.
„Wir bieten bei Redebedarf heute Abend und morgen Mittag Gespräche an. Die kleine Hauskapelle ist bis Mitternacht geöffnet. Christliche Eheberater empfehlen, die Beziehung vor Gott zu tragen und gemeinsam zu beten. Es ist eine verbindende Kraftquelle, die neue Hoffnung schenken kann."

Am Sonntagmorgen gab es Material zum Thema *Streit und Versöhnung*. Bei einem Vortrag zu *Zoff und Zärtlichkeit* fand sich jeder in einer der Partnerbeziehungen wieder. Danach wurden Mandalas aus Naturmaterialien gestaltet, Spaziergänge durch den Park gemacht oder Bergers Gesprächsangebot angenommen.
Nach dem Kaffeetrinken galt es Abschied zu nehmen. Sabine hatte die Zeit mit ihrem Mann sehr genossen. Sie freute sich darauf, nun offen über Tamaras Schwangerschaft sprechen zu können.
Nach etwa drei Kilometern nahm sie ein Tempo aus der Anorak-Tasche und hielt den Schlüssel des Gästehauses in der Hand.
„Mensch Sabine, wir sollten den Zimmerschlüssel in die Box am Eingang legen!"
„Ich war noch kurz im Zimmer und habe es dann vergessen. Es tut mir leid."
Bernd drehte bei der nächsten Möglichkeit um. „Wären wir länger unterwegs, hätten wir den Schlüssel schicken müssen."

„Pardon, ich bin einfach zu zerstreut."
„Meine Träumerin, ich liebe dich trotzdem!"
„Da Papa dement ist, habe ich Angst, auch Alzheimer zu bekommen. Es trifft inzwischen auch Leute unter sechzig Jahren."
„Das ist eher selten, mach dich nicht verrückt! Vergesslich und schusselig warst du schon immer."
„Dann ist ja gut", sagte Sabine etwas beleidigt. „Vielleicht sind es aber doch die Vorzeichen."

An diesem Wochenende lud Tamara ihren Freund zum Essen ein und servierte Schnitzel mit Spätzle und Salat. Ihr braunes hüftlanges Haar war zu einem Dutt zusammengesteckt und mit einer weißen Spange geschmückt. Sie trug ein rotweißes Sommerkleid.
„Hübsch siehst du aus." Er nahm sie fest in die Arme.
„Ich freue mich sehr auf unser Kind. Mama will es dieses Wochenende Papa sagen. Ich war zu feige dazu."
Marco gab keine Antwort, verschwand und kam mit einem dunkelroten Rosenstrauß wieder. „Ich liebe dich zu sagen, dauert Sekunden. Dir es zu erklären, dauert viele Stunden. Es dir zu beweisen, ein Leben lang." Er gab ihr die Rosen und aus seinem Handy ertönte der Song: *Love is all around*. Aus der rechten Hosentasche zauberte er einen Silberring mit drei roten Swarovski Kristallen. Er ging auf die Knie. „Tamy, ich liebe dich. Willst du meine Frau werden?"

Sie sah ihn überwältigt an. „Ja, ich will!"
Er stand auf, steckte ihr den Ring an den Finger und sie küssten sich. „Schlichtere Hochzeitsringe suchen wir gemeinsam aus."
„Ich glaube, unser Baby hat eben vor Begeisterung gestrampelt."
„Hoffentlich hast du keinen Hubschrauber oder größere Aktivitäten erwartet."
„Nein, so war es wunderbar." Sie suchte eine Vase für den großen Rosenstrauß.
Aus Marcos Handy erklangen immer neue Liebeslieder. Sie hielten sich umschlungen und wollten sich nicht mehr loslassen.

Am Montagabend gab es ein Treffen mit Tamaras Eltern. Bernd als Vater und Arzt informierte sie über einige Dinge zur Schwangerschaft. Tamara freute sich über sein Engagement, mochte es teils auch berufliche Ursachen haben.
„Junger Mann! Wie stellen Sie sich Ihre Zukunft als Vater vor?"
„Als Musiklehrer beziehe ich regelmäßiges Gehalt und gebe zusätzlich Privatstunden an der Musikschule. Gestern hat Ihre Tochter meinen Heiratsantrag angenommen und wir planen unsere Hochzeit für den 11.11.!"
Sabine sah lächelnd zu dem großen Blumenstrauß auf dem Wohnzimmertisch. „Ich habe es vermutet."
„Mit einem Bäuchlein braucht man heutzutage kein

Spießrutenlaufen zu befürchten. Doch wir wollen, dass unser Kind ehelich ist und wir keine Namensänderung vornehmen müssen. Meine Masterarbeit ist fast fertig und ich kann in Ruhe mein Studium abschließen."
Ihr Vater holte einen alkoholfreien Sekt. „Das sind doch gute Nachrichten! Lasst uns auf das erfreuliche Ereignis anstoßen. Ich bin Bernd und das ist meine geliebte Frau Sabine."

Brauns erhielten eine Urlaubskarte aus Esztergom in Ungarn. Sabine las sie Bernd vor: „Zwanzig Schleusen auf der Fahrt, hochschäumendes Wasser vor dem Kabinenfenster. Aber ein tolles Schiff, großartige Ausflüge, leckeres Essen. Wir genießen die Tage. Richard und Melissa."
„Sie scheinen sich gut zu amüsieren."
Bernd tippte in sein Handy. „Von Esztergom sind es vierzig Kilometer nach Budapest."
„Dann sind sie jetzt am Ziel. Richard hat sich telefonisch nicht gemeldet. Melissa hat ihn wohl fest im Griff. Sie wirkt auf mich egoistisch und oberflächlich. Da war mir Miri lieber."
„Ja, wo die Liebe hinfällt! Du hast hoffentlich nur Augen für mich."
Sabine hatte ihm von Kunstkollegen erzählt, die mit ihr flirteten und sie auf einen Kaffee einluden. Sie sprach auch über ihre Befürchtung, dass Bernd sich in eine Kollegin oder Arzthelferin verlieben könnte. Doch beide

spürten, dass sie zusammengehörten und einander vollkommen genügten.

Melissa und Richard nahmen nicht an allen Ausflügen teil. Sie besichtigten Wien, Budapest und Bratislava und fuhren ins Landesinnere der Puszta. Sonst faulenzten sie gern an Deck oder nahmen ein Taxi zum Einkaufsbummel. Melissa hatte ihre Kleidersammlung erweitert und auch Richard zu neuen Klamotten überredet. Sie wirkten auf dem Schiff overdressed, da die meisten Reisenden einfache sportliche Kleidung trugen. Doch Melissa liebte figurbetonte Mode, durch die sie Aufmerksamkeit erregte.
Manchmal dachte Richard an Miris lapidaren Satz: „Andere Mütter haben auch schöne Söhne.“ Ob sie jemanden kennengelernt hatte?

Miriam Schuhmann las ihren Roman fertig und bereitete den Unterricht für die ersten Schulwochen vor. Täglich telefonierte sie mit Julian, der sie sehr vermisste. Sie besuchte ihn zu Hause und erlebte dort zwei intensive Tage. Er zeigte ihr die Sehenswürdigkeiten seiner Heimatstadt und stellte sie seinen Jungs vor.
Als er zwei Wochen später freitags nach Heitersheim kam, fühlte Miriam sich etwas unwohl. Wollte sie sich wirklich schon an ihn und seine Söhne binden, nachdem Richard erst ausgezogen war? Würde das Gerede der Nachbarn sie belasten?

„Miri, was ist los? Du scheinst deine Unbekümmertheit verloren zu haben."
„Wir hatten eine tolle Zeit. Doch ich glaube, es ist zu früh, mich auf einen neuen Partner einzustellen."
„Aber wir passen ideal zusammen. Stören dich meine Jungs?"
„Nein, das ist es nicht. Die Trennung von Richard ist zu frisch. Es tut mir leid."
„Da kann man nichts machen. Ich hätte dich gern als meine Partnerin. Vielleicht können wir uns ab und zu treffen", sagte er enttäuscht. „Unter diesen Umständen werde ich nicht das ganze Wochenende bleiben." Am Samstagmittag besuchte er noch Tante Erika und fuhr von dort nach Hause.
Bei ihrem Abendspaziergang läutete Miriam spontan bei Brauns. Ihr Patenkind öffnete. „Hallo Tamy! Ist Sabine auch da?"
„Hat Mama nicht erzählt, dass sie nach Spanien fährt?"
„Nein. Ich habe sie länger nicht gesprochen. Was macht sie dort?"
„Für Kunststudenten wurde ein Ausflug nach Barcelona mit einer Übernachtung angeboten. Sie sind heute mit dem Schnellzug nach Figueres gefahren, um das Dali-Museum zu besuchen. Morgen Abend hole ich Mama wieder am Bahnhof ab. Ich hätte auch mitgehen können, doch es war mir zu stressig. – Möchtest du kurz reinkommen?"

„Auf ein Glas Mineralwasser! Du hast sicher auch einiges zu berichten."

Am Montag lud Miriam ihre Schwägerin zum Kaffeetrinken ein.
Sabine erzählte begeistert: „Wir waren vierzehn Leute. Auf der Stadtrundfahrt besuchten wir die weltbekannte *Kathedrale Sacrada familia von Gaudi*, die seit 1882 im Bau ist. Zum 100. Todestag des katalanischen Baumeisters 2026 soll sie fertig werden."
„Darüber habe ich einen Fernsehreport gesehen."
„Barcelona hat riesige Bahnhöfe, überfüllte Straßen und wir waren auch bei einem Flamencoabend im Musikpalast. Die Kunstwerke Dalis in Figueres waren faszinierend wie die armlose weiße Frau mit den Schubladen vorn. Ich habe viele Handy-Bilder gemacht und natürlich das Kunstbuch zur Ausstellung gekauft."
Das wunderte Miriam nicht, die Sabines überfüllte Regale kannte. „Und sonst hat alles geklappt?"
„Mit meiner Studienkollegin Lioba teilte ich ein schönes Zimmer. Nervig war nur das ständige Blinken des Feuermelders über unserem Doppelbett. Ich habe mir die Decke über den Kopf gezogen. – Und im Dali-Museum waren plötzlich alle verschwunden, nachdem ich auf der Toilette war. Ich lief in die falsche Richtung und erst nach einer SMS von Lioba habe ich die anderen wiedergefunden."
Typisch Sabine! Miriam betrachtete einige Gemälde im

Handy. „Die aus bunten Steinen zusammengesetzten Werke von Dali habe ich noch nie gesehen.“
„Das ganze Gebäude mit der Außenanlage ist ein Kunstwerk.“
„Es freut mich, dass du so tolle Erlebnisse hattest. Doch jetzt lass uns Kaffeetrinken.“
„Dann erzähle ich dir von meinem Partnerwochenende mit Bernd im Schwarzwald.“

17. Herbsttage

Noch Ende September gab es Nachmittage, an denen man im T-Shirt auf der Terrasse sitzen konnte. Dann wurde es kühler und bunt gefärbte Blätter schwebten zum Boden.
Joachim Burger bekam von einer Großgärtnerei einige Packungen Muscari-Zwiebeln zugeschickt. Er wollte die blauen Traubenhyazinthen rund um die Terrasse anpflanzen. Lief er an dem Bild *Frühlingstrauben* im Hausflur vorbei, freute er sich auf das Frühjahr mit echten duftenden Blütentürmchen.

Als Miriam Schuhmann die Fünftklässler zu Beginn der Deutsch-Doppelstunde begrüßte, murrte Detlev: „Zwei Stunden Deutsch sind ätzend!“
„Besser als Mathe!“, meinte Ines.
Miriam kündigte an, dass nach Rechtschreibübungen in der zweiten Stunde Herbstgedichte besprochen würden. Besonders Benjamin freute sich darüber. Er liebte Gedichte, seit ihm seine Oma Bilderbücher mit Reimen vorgelesen hatte.
In der zweiten Stunde wurden Herbstgedichte im Lesebuch auf Inhalt und Aufbau untersucht. Nun durften die Schüler ans Werk.

Benjamin reimte:
Es kommt der Herbst bald und ich geh in den Wald.
Pferde reiten vorbei, in der Scheune liegt Heu.

Der Sturm rüttelt am Haus, die Katze jagt die Maus.
Es bellt laut der Hund, die Blätter sind bunt.

„Gut, Benni. Übung macht den Meister."

Dann las Melanie ihr Gedicht.
„Frau Schuhmann, das reimt sich nicht!", stellte Waltraud fest.
„Auch reimlose Gedichte gelten als Lyrik. Melanie, schreib dein Gedicht bitte an die Tafel. Ich sage dir, wann du eine neue Zeile anfangen sollst."

Das Sonnenlicht bahnt sich einen Weg
durch das Blätterdach der Bäume.
Der Wind flüstert dem verfärbten Laub
etwas zu und spielt mit den Blättern Fangen.
Mit den heruntergefallenen Kastanien
und Eicheln kann man Männchen bauen."

„Prima, Melanie! Das kann mancher Siebtklässler nicht besser!"
„Jetzt sieht es wirklich wie ein Gedicht aus", stellte Detlev fest.

In der 7. Klasse hatte Theresia ein Referat über Astrid Lindgren vorbereitet.
Paul lachte. „Pippi Langstrumpf ist doch Kinderkram. Ich werde einen spannenden Krimi vorstellen."

„Hast du das Buch schon gelesen und das Leben des Autors vorbereitet? In drei Wochen sollten alle Buchpräsentationen fertig sein."
„Ich muss von meinem älteren Bruder erst etwas ausleihen."
Theresia erzählte aus dem Leben der bekannten Kinderbuchautorin:
„Sie erhielt 1965 für ihr Gesamtwerk den Schwedischen Staatspreis für Literatur und 1978 den Friedenspreis des Deutschen Buchhandels. Sie starb 2002 im Alter von 94 Jahren. Die Gestalt ‚Pippi Langstrumpf' erfand ihre Tochter Karin, als sie an Lungenentzündung erkrankt war. Frau Lindgren schrieb verschiedene Geschichten dazu und das Buch ‚Pippi Langstrumpf' wurde über 120 Millionen Mal verkauft."

„Echt stark!", bemerkte Annette.
Theresia stellte das Buch *Mio, mein Mio* vor und las einen Ausschnitt daraus. Sie hatte das Stück mit den Eltern im Theater in Dresden gesehen. Hinterher teilte sie ein selbstgemachtes Rätsel zum Buch aus. Sie erhielt für das ausgearbeitete Referat die Note 1,0.

Nach den Unterrichtsstunden gönnte sich Miriam im Restaurant Nordsee ‚Wildlachs mit Reisgemüse'. Sie schaute zuhause kurz in die Zeitung und machte sich dann auf den Weg zur Logopädin. Von Frau Hertel er-

hielt sie Tipps, wie man den Atembogen gezielt einsetzte. Ihr Stimmvolumen hatte sich deutlich verbessert und die Heiserkeit war verschwunden.
Auf dem wieder laut geschalteten Handy hörte sie Tamaras Stimme: „Miri, ich habe für meine Masterarbeit die Note 1,2 bekommen. In zwei Wochen kann ich schon die Abschlussprüfung machen."
Miriam rief zurück und lud Tamara mit Klaus Polomski am nächsten Tag zum Kaffeetrinken ein.

Dort präsentierte sie ihr neu verfasstes Herbstgedicht:

Herbststimmung

Buntgefärbte Herbstblätter
Schweben und wirbeln
Losgelöst vom Lebensbaum
Auf den feuchten Waldboden

Rote, gelbe und grüne Tupfer
In unterschiedlichen Formen
Windgepeitscht, aufbäumend
Doch dann sich fallenlassend

Sie nehmen ihr Schicksal an
Dienen uns Menschen als Vorbild
Im Loslassen und Fallenlassen
In die Hand unseres Schöpfers

Der Verleger war begeistert. „Noch ein paar Winter- und Weihnachtsgedichte, dann haben wir dein Büchlein zusammen. Er sah auf Tamaras leicht gewölbten Bauch. „Wann ist es denn soweit?“
„Mitte März. Wir bekommen einen Jungen und wollen vorher am 11.11. heiraten.“
„Schön, wenn der Kleine in einer Familie aufwachsen kann.“
„Für die Hochzeit muss ich einiges vorbereiten und übernächste Woche ist meine Abschlussprüfung des Kunststudiums.“
„Respekt Mädchen! Das ist natürlich wichtiger als ein Gedichtband.“

Miriam nahm das klingelnde Kabel-Telefon im Flur ab. Es war Gertrud Lauer, mit der sie nach Mutters Tod mindestens einmal monatlich telefonierte. Während ihres Redeschwalls über Neuigkeiten ihrer Familie versuchte Miriam das verdrehte Telefonkabel zu entwirren.
„Du hast dich länger nicht gemeldet“, hörte sie nun etwas lauter Gertruds vorwurfsvolle Stimme.
„Als ich mit Barbara an der Adria war, habe ich dir eine Postkarte geschickt.“
„Ja, danke schön! Wir haben Melanis 55. Geburtstag in Zürich gefeiert. Da kann ich dir manche Geschichte erzählen. Gleich am Anfang...“
„Gertrud, sei nicht böse, ich habe Besuch.“
„Wer ist denn da?“, fragte sie neugierig.

„Tamara und mein Nachbar Klaus Polomski."
„Ach, der Bücherwurm! Sag liebe Grüße. Ich rufe dich in den nächsten Tagen wieder an."
Miriam kehrte zu den anderen zurück. „Typisch Mamas Freundin! Sie fragt nie, ob ich Zeit habe und wie es mir geht."
„So ist es mit uns älteren Semestern. Lebt man allein, ist man froh, wenn jemand an der Strippe ist."
„Aber bei Ihnen ist es doch ganz anders."
„Waren wir nicht längst beim Du angelangt?"
„Entschuldige. Du bist für mich eine Respektperson!"
„Ich heiße Klaus, für Freunde Polo." Sie stießen ihre Saft- und Wassergläser aneinander.
„Polo, du wirkst nicht einsam. Du hast durch deinen Künstlerkreis und Buchverlag viele Ansprechpartner."
„Ich kann über Langeweile nicht klagen. Ich mache Besuche in Altenheimen und biete Kräuter- und Pilzwanderungen an, auch dieses Wochenende. Trotzdem ist es ein Unterschied, ob man abends alleine in der Wohnung sitzt oder Gesellschaft hat."
„Die kleinen Mädchen aus Schwarzach, deren Mutter gestorben ist, sind fünf und sieben Jahre alt. Könnten sie zur Pilzwanderung mitkommen?"
„Natürlich! Es sind öfters Familien dabei."

Außer Miriam und den Kindern nahmen fünf Interessierte an Polos Kräuterwanderung im Heitersheimer Wald teil. Klaus versicherte, dass die gefundenen Pilze

und Kräuter essbar und schmackhaft seien und erklärte ausführlich ihre Wirkung.
Die Mädchen marschierten tapfer mit und kletterten neben dem Weg manchen Hang hinauf und hinunter.
„Wir haben heute gutes Wetter erwischt. Ab morgen ist Sturm angesagt und da sollte man den Wald meiden", warnte Klaus.

Die nächsten Tage tobten Herbststürme durchs Land. Herabfallende Äste und umgestürzte Bäume behinderten den Verkehr. Plötzliche sintflutartige Regenfälle ließen die Feuerwehr manchen Keller leerpumpen.
Nach einer heftigen Sturmnacht rief Margot aufgeregt ihre Schwägerin an: „Das Dach des Hühnerstalls wurde abgedeckt und drei Tiere sind tot. Gefäße und Gartengeräte flogen herum, aber zum Glück ist nichts Schlimmeres passiert."
„Soll ich vorbeikommen und helfen? Heute ist mein freier Tag."
„Nicht nötig! Wir schaffen das. Daniel ist auch da. Ich wollte es nur erzählen und hören, wie es dir geht."
„Vor den Herbstferien haben wir in der Schule viel Arbeit. – Übrigens war ich letzte Woche mit den Mädchen bei Polos interessanter Kräuterwanderung. Er hat auch vor dem Sturm gewarnt. Grüße Jogi nun herzlich und sage ihm, dass ich in den Ferien auf jeden Fall vorbeikomme. Ich sollte Tiefkühlkost und Fertiggerichte wieder durch gesunde biologische Lebensmittel ersetzen."

Am ersten Ferientag schlief Miriam bis zehn Uhr. Den Nachmittag verbrachte sie mit Barbara und den Kindern im Erlebnisbad in Großhausen. „Wollt ihr zwei morgen auf den Bauernhof meines Bruders in Freiau mitkommen?“
„Ja!“, riefen die beiden begeistert.
Margot tischte jedem eine Portion Reisbrei mit Obst auf. Dann fütterten sie mit Elisa die Gänse, Hasen und Hühner, bestaunten die Pferde und wirbelten mit Bella über den Hof. Sie beschlossen mit der Hündin einen Waldspaziergang zu machen. Margot richtete für Miri, Elisa und die Kinder einen Rucksack mit Vesper.

Katrin und Kornelia führten Bella abwechselnd an der Leine. Im Wald ließen sie das Tier frei herumspringen und rannten mit ihr um die Wette. Sie kamen zu zwei grünen Bänken an einer Wasserquelle. Dort saß ein Mann mit ungepflegtem Bart und schmutziger Kleidung. Er sah die Kleinen mürrisch an, so dass sie erschreckt zu den anderen zurückliefen.
Sie ließen sich auf der zweiten Bank nieder und Miriam nickte ihm freundlich zu.
„Hier für jeden ein Fläschchen Mineralwasser, ein Apfel, ein Wurst- oder Käsebrot und ein Müsliriegel!“
Der ältere Mann blickte gierig auf das Essen. „Hast du Hunger, magst du ein Stück von meinem Brot?“, fragte Kornelia. Sie brach etwas davon ab. Katrin schenkte ihm

ihren Müsliriegel und Miriam gab ihm eine Wasserflasche. Der Mann nahm alles dankbar an. Er sah zu Bella, die zwischen den beiden Ruhebänken lag. „Ich hatte früher einen Dackel“, sagte er mit rauer Stimme.
Miriam beobachtete den seltsamen Wanderer. „Können wir etwas für Sie tun oder Sie nach Hause bringen?“
„Nein, nein! Ich muss weiter. Danke für alles.“ Humpelnd lief er in den Wald hinein.

Kornelia erreichte mit Bella zuerst Burgers Hof. „Im Wald war ein komischer Mann. Der hatte solchen Hunger, dass wir ihm etwas vom Vesper abgegeben haben.“
„Oh!“, sagte Margot aufmerksam. „Vor zwei Tagen ist ein 65-Jähriger aus der Psychiatrie entkommen. Beim Bäcker hängt ein Bild von ihm. Doch das wird er wohl nicht sein.“
Elisa schwang sich aufs Fahrrad und läutete kurz darauf Sturm. „Ja, er ist es! Er wirkt auf dem Plakat gepflegter, aber das Gesicht habe ich gleich erkannt.“
Ihr Vater wählte die Polizeinummer 112. „Hier Joachim Burger aus Freiau. Meine Schwester und meine Tochter trafen eben im Wald den gesuchten Mann. – Nein, es gibt keinen Zweifel, er wurde eindeutig auf dem Plakat erkannt. – Ja, der Wald in Freiau.“ Er gab seine Adresse und Telefonnummer an.
Bald darauf fuhren zwei Polizeiwagen Richtung Wald und nach einer halben Stunde wieder zurück.
Die Mädchen, welche sich Kakao und Marmorkuchen

schmecken ließen, waren sehr aufgeregt.
„Ob sie den Verbrecher gefasst haben?“, fragte Katarina.
„Das ist kein Gangster“, sagte Kornelia. „Nur ein kranker Mann, der fortgelaufen ist, weil sie ihn eingesperrt haben.“
„Böse hat er nicht ausgesehen, doch sehr traurig“, bestätigte Katarina.
Am nächsten Tag stand in der Zeitung, dass der flüchtige Ausreißer Hartmut Mosbach in die psychiatrische Klinik zurückgebracht wurde.
Joachim dachte oft an den unglücklichen Mann und beschloss, ihn einmal in der Klinik zu besuchen.

Fast täglich kam Tamara bei Miriam vorbei, wenn sie ihr Tagespensum für die Prüfung gelernt hatte. Ihre Patin sprach ihr Mut zu und lenkte sie von ihren Ängsten ab.
Am Abend vor der Prüfung rief Tamy kurz vor Mitternacht an. „Ich kann nicht schlafen!“
„Das verstehe ich. Mach eine Entspannungsübung und nimm ein paar Baldriantropfen. Ich habe welche in eurem Gangregal gesehen. Wir drücken dir die Daumen und du bist schon fest in mein Abendgebet eingeschlossen.“
Am nächsten Tag hatte sich Miriam mit einer Fertigpizza an den Tisch gesetzt, als es läutete. Tamara erschien mit

Marco. „Ich habe die Note Eins bekommen!“, sagte sie strahlend. „Zusammen mit den anderen Fächern und der Abschlussarbeit habe ich meinen Master of Education mit sehr gut abgeschlossen.“
„Das ist großartig!“
„Meine Verlobte ist klug und schön!“ Marco küsste sie zärtlich.
„Heute Abend bist du zu einem Umtrunk bei uns zuhause eingeladen. Richard und Melissa werden auch da sein.“
„Dann habe ich keine Lust! Kommt lieber morgen mit Polo zum Mittagessen, wenn ihr es einrichten könnt. Er fragt mich immer, ob du wieder etwas geschrieben hast.“
„Ja, ein Herbstgedicht bei Walters im Wintergarten. – Und ich bringe morgen einen Salat mit.“

„Herzlichen Glückwunsch zu deiner Prüfung, Tamara!“ Klaus überreichte ihr ein Reimlexikon. „Es gibt Hilfestellung, wenn man für ein Gedicht ein passendes Wort sucht.
Nun zeige mir dein zweites Herbstgedicht!“

Herbstmorgen

Vom Sessel im Wintergarten
geschützt hinter Glasfenstern
betrachte ich fasziniert die
goldgelbe Morgendämmerung.

Hohe buntgefärbte Bäume
zittern leicht im Herbstwind.
Sanft gleitende Blätter verlassen
ihre liebgewonnene Heimat,
schweben zur Muttererde zurück.

Zwitschernde Vögel schaukeln
auf lichten verzweigten Ästen,
breiten dann ihre Flügel aus
zum Weiterflug in die Freiheit.

Glitzerndes Sonnenlicht dringt
aus trüb milchigen Wolken
und streichelt über Wiesen und
rot-gelb geschmücktes Laub.

Wie einen romantischen Film
genieße ich das Naturschauspiel
mit wild tanzenden Blättern.
Die Landschaft scheint verwandelt
in ein zauberhaftes Gemälde.

„Freie Rhythmen liegen dir besonders."
„Manchmal fallen mir nachts Verse ein. Schreibe ich sie nicht auf, sind sie vergessen."
„Ein Schriftsteller sollte immer einen Notizblock dabeihaben, auch am Nachttisch."
Miriam unterbrach die Unterhaltung. „Lasst uns essen! Dein Thunfisch-Salat sieht lecker aus. – Klaus, hier für dich einen Gemüsepfannkuchen und einen Teller gemischter Salat."
„Danke sehr! Du weißt, ich bin ein richtiger Vegetarier, kein Pescetarier, der Fisch isst!"
Er verabschiedete sich gegen 15 Uhr, da er noch ein neues Manuskript durcharbeiten wollte.
Miriam holte aus dem Zeitschriftenständer das Heft: *Wir trauen uns*. „Ich habe es für euch gekauft. Es enthält alles rund um die Hochzeit: das Einladen der Gäste, Essen, Kleidung, Geschenke und etwas zur kirchlichen Trauung."
„Danke! Das habe ich noch nicht. – Wir wollen ökumenisch heiraten. Marco und seine Eltern wünschen einen katholischen Ritus."
„Die Mutter entscheidet meist über die Religion des Kindes."
„Ich will in der evangelischen Stadtkirche heiraten."
„Dann ist es offiziell eine evangelische Trauung, bei der ein katholischer Priester mitwirkt."
Marco gab seiner Freundin einen Kuss. „Wir werden ab-

wechselnd in den katholischen und evangelischen Gottesdienst gehen, okay?“
„So wird es in christlichen Mischehen häufig praktiziert, wenn beiden ihr Glaube wichtig ist.“

Das Telefon klingelte und Gertrud Lauer war am Apparat. „Hallo, Miriam! Stell dir vor, ich war mit der Frauengemeinschaft am Wochenende im Kloster Lichtental in Baden-Baden. Es ist eine Abtei der Zisterzienserinnen. Das Schweigen zwischendurch ist mir schon schwergefallen.“
„Das kann ich mir denken!“
„Wir haben auch Übungen zum Zuhören gemacht. – Wie geht es dir denn?“
„Bei mir ist immer viel los, in der Schule und im Privatleben. Tamara ist mit ihrem Verlobten Marco gerade hier. Sie hat ihr Kunststudium mit der Note Eins abgeschlossen. Am 11.11. wird sie heiraten und im Frühjahr bekommt sie Nachwuchs.“
„Das wusste ich gar nicht. Sag ihr herzliche Grüße und Glückwünsche! Besuche mich einmal, wenn du weniger um die Ohren hast.“
„Mal sehen, Gertrud. Alles Liebe für dich und deine Familie!“
„Du bist schnell zurück.“
„Grüße von Gertrud. Sie hat kurz von einem Besuch im Kloster in Baden-Baden erzählt. Dann hörte sie mir zu, was selten vorkommt.“

„Wir diskutieren gerade über die Institution Kirche und warum immer mehr Christen austreten“, sagte Tamara. „Die Kirche ist in ihrer Lehre zu festgefahren. Sie müssten sich mehr für Gleichberechtigung und die Umsetzung der Gebote einsetzen! *Du sollst nicht töten* wird täglich mit Füßen getreten: Mord, Krieg, Missbrauch und Hungersnot. Und die könnten auch einige Goldschätze verkaufen und das Geld den Notleidenden geben.“
„Marco, einige Leute denken wie du. Aber nicht alles ist der Kirche anzulasten. Sie hat viele soziale Einrichtungen ins Leben gerufen. – Wir werden das Gespräch ein anderes Mal fortführen. Ich muss noch Unterricht vorbereiten, die Ferien sind vorbei. Ihr seid jederzeit willkommen. Doch meldet euch vorher an, denn ich werde öfters in der Schule sein.“

Kaum war Miriam allein, rief Babsy an. Die Freundinnen unterhielten sich über die Erlebnisse der letzten Tage. Barbara erzählte gerührt, dass Max sie zu seinem achtzehnten Geburtstag in zwei Wochen eingeladen hatte. „Drei Jahre habe ich ihn nicht gesehen! Ich sagte gleich zu. Ich kaufe eine Bahncard 25, die sich bei der langen Fahrt nach Oberhausen rentiert. – Oh Miri, ich bin so glücklich! Was ist nun eigentlich mit dir und Julian Wesel geworden?“
„Manchmal telefonieren wir und ich denke öfters an

ihn. Doch ich bin für eine feste Beziehung noch nicht bereit."
„Schade, ihr ward ein tolles Paar! – Nächsten Sonntag möchte ich dich zum Herbstfest der Altkatholiken einladen. Alfred Jung und seine Mädchen werden auch da sein."
„Heidi Roser besucht mich am Wochenende. Sonntagmorgen wollen wir wandern und unterwegs Mittagessen."
„Dann kommt zum Kaffeetrinken nach Schwarzach."
„Ich werde mit Heidi sprechen."
„Dir eine gute Schulwoche und starke Nerven für die lieben Schüler."

Miriam machte ihre logopädischen Grundübungen auf der Gymnastikdecke. Sie wölbte ihren Bauch bei der Einatmung vor und rief mit dem Ausatmen laut: „Hahhaha, Mamama und Wa-rum?" Man konnte Silben, Worte oder kleine Sätze mit dem Ausatmen verbinden. Sie dachte an das Telefongespräch mit Babsy. – Ihr ward ein tolles Paar! Ob sie bei Julian die richtige Entscheidung getroffen hatte? Vielleicht wäre sie zum zweiten Mal enttäuscht worden und er hätte sich eine Jüngere angelacht. Sie sollte die Zeit mit ihm als schönes Erlebnis abhaken. Miriam beschloss, einen endgültigen Strich unter ihre Urlaubsliebe zu ziehen.

Nach den Herbstferien mussten sich die Schüler wieder an einen geregelten Ablauf gewöhnen. Das stellte oft das Geschick eines Pädagogen auf die Probe.
Als Miriam ein Übungsdiktat in der 7. Klasse ankündigte, schimpfte Karl über unnötigen Stress nach den Ferien. Paul klebte Petra, die vor ihm saß, zwei Kaugummis ins lange Haar. Sandra bemerkte, dass bei ihrer kleinen Schwester deshalb Haare herausgeschnitten werden mussten. Petra begann laut zu heulen.

In der 5. Klasse leerte Detlev seinem Nachbarn Thomas den Schulranzen aus, weil er sich über sein Batman-Mäppchen lustig gemacht hatte.
In beiden Fällen verteilte Miriam Strafarbeiten und sie spürte innerliche Aufregung. Sie versuchte entspannt in den Bauch zu atmen und die Stimmbänder zu schonen. Doch heute schien es ihr nicht zu gelingen. Erschöpft legte sie sich nach dem ersten Schultag zu einem Nickerchen auf das Sofa. Essen konnte sie später.

18. Moped-Fahrt

Elisa hatte den Moped-Führerschein gemacht, dessen Kosten von 600 Euro Jogi und Miriam sponserten. Im Internet entdeckte sie ein tolles Moped ‚race blue' für 1000 Euro. Dreihundert Euro hatte sie zum sechzehnten Geburtstag erhalten. Noch Babysitten und im Kaufland jobben, dann würde sie es bald zusammenhaben.
Matthias bot ihr an, auf seinem Mofa Fahrpraxis zu erwerben. Sie planten am Abend eine Spritztour rund um Freiau.
Mit Helm und wetterfester Kleidung genoss Elisa die Fahrt in der Abenddämmerung. Matthias hielt sie von hinten umschlungen. In einer engen Kurve verlor sie plötzlich die Kontrolle über das Fahrzeug. Es schlingerte und die beiden stürzten auf die Straße. Matthias schrie, als sein Knie an eine Mauer schlug.
Am ganzen Körper zitternd setzte sich Elisa auf den Gehweg. Aus einigen Stellen der aufgerissenen Hose floss Blut. Hände und Arme waren aufgeschürft.
Matthias humpelte auf sie zu. „Wir haben Glück gehabt und keine schweren Verletzungen. Ich rufe bei dir zu Hause an. Deine Leute können am schnellsten da sein. – Hier ist Matthias! Wir hatten einen Moped-Unfall... Ja, Elisa ist gefahren... Nein, es war kein anderes Fahrzeug beteiligt... Wir sind bei der letzten Kurve vor dem Forsthaus."

Ein Auto hielt und zwei junge Männer boten Hilfe an. Einer brachte eine Rettungsdecke, auf die sich Elisa und Matthias setzten. Er stöhnte laut, als er sein rechtes Knie beugte. „Da habe ich mir wohl eine Zerrung geholt."

Der andere Mann versuchte mit Pflastern und Binden Elisas Blutungen zu stillen. – „Hier liegt nasses Laub auf der Straße. Da kann man ins Rutschen kommen, wenn man stark bremst." Eine Spaziergängerin mit Kopflampe hielt Elisa beruhigend die Hand.

Wenige Minuten später erschien Joachim mit seinem Auto und Anhänger. Elisa und ihr Freund waren von drei Leuten umringt. Die ältere Dame kannte er vom Musizieren. „Ach, ist das deine Elisa? Die hätte ich nicht mehr erkannt. Die jungen Leute sollten ins Krankenhaus."

„Wir werden sehen! Ihnen allen herzlichen Dank für Ihre Hilfsbereitschaft."

Als das Moped auf den Anhänger geladen war, half Joachim den jungen Leuten ins Auto und telefonierte mit Bernd. „Elisa und Matthias hatten einen Moped-Unfall... Ja, sie sind ansprechbar... Okay, wir kommen vorbei. Bis gleich!"

Joachim stellte den Anhänger zuhause ab und fuhr mit ihnen nach Heitersheim. Sabine hatte auf dem Sofa mehrere Handtücher ausgebreitet.

Elisa sagte immer wieder, dass es ihr schrecklich leidtäte. Bernd zog die Pflaster und Binden vorsichtig ab

und betrachtete ihre Schürfwunden. „Die Verletzungen scheinen oberflächlich zu sein, einen Verdacht auf Gehirnerschütterung habe ich nicht. Du kannst alles genau berichten und hast nur einen kleinen Schock."
Tamara setzte sich zu ihrer Kusine und strich ihr beruhigend über den Kopf. „Was ist denn passiert?"
„Ich glaube, dass mich ein entgegenkommendes Auto geblendet hat. Durch die nassen Herbstblätter kam ich beim Bremsen ins Rutschen."
Matthias saß blass in einem Sessel. Bernd bewegte sein rechtes Bein leicht auf und ab. „Deine Schürfwunden sind harmlos, aber dein Knie scheint Kummer zu machen."
„Es ist beim Sturz an die Mauer geknallt. Es schmerzt, ist aber auszuhalten."
„Da das Knie angeschwollen ist, empfehle ich dir ein MRT, die Magnetresonanztomographie."
Matthias Eltern wurden informiert. Bald darauf brachte Herr Hagen seinen Sohn zur Untersuchung ins Krankenhaus.

Nach langem Warten wurde Matthias Hagen ins Behandlungszimmer geführt.
Doktor Schmitt, der diensthabende Arzt, erklärte: „Wir können in der Röhre ein MRT machen oder eine schnellere Computertomographie (CT), die aber nicht so deutliche Ergebnisse bringt."
Weil Matthias Platzangst hatte, bat er um ein CT. Ein

Pfleger schob ihn im Rollstuhl zur Radiologie. Nach einiger Wartezeit, Röntgenaufnahmen und dem Zurückbringen zur Ambulanz erschien Doktor Schmitt mit ernster Miene. „Sie haben einen Impressionsbruch am rechten Kniegelenk. Das Schienbeinköpfchen ist eingebrochen, eine sogenannte Tibiakopffraktur. Da der Bruch glatt erscheint, werden wir eine Ruhigstellung durchführen. Sonst müsste das Gelenk mit Schrauben und Platten stabilisiert werden.“
Matthias war blass geworden. Eine Schwester kam mit zwei blauen Krücken herein. „Ihr Gehwerkzeug in den nächsten sechs Wochen!“
„Das kann nicht wahr sein!“
„Sie dürfen das rechte Knie nicht belasten. Sie riskieren sonst, dass der Bruch weiter einsackt und sie operiert werden müssen. Im Sanitätshaus erhalten Sie eine Beinschiene, eine sogenannte funktionelle Knieorthese. Da Sie beide Krücken brauchen, empfehle ich Ihnen eine Gürteltasche, in der Sie kleine Sachen von einem Zimmer ins andere tragen können. Sie benötigen natürlich Hilfe bei der Körperpflege.“

Matthias sah seinen Vater entgeistert an.
„Braucht mein Sohn Schmerzmittel?“
„Man muss nicht mit starken Schmerzen rechnen. Aber er benötigt täglich eine Thrombosespritze zur Blutverdünnung. Sonst setzt er sein Leben aufs Spiel!“

„Oh Gott!", jammerte Matthias, der eine Spritzenphobie hatte. „Geht es nicht ohne?"
„Auf keinen Fall! Und die Muskeln am rechten Bein müssen spätestens nach sechs Wochen mit Krankengymnastik aufgebaut werden. Sie bekommen bei der Sprechstundenhilfe die Rezepte und in zwei Wochen sehen wir uns zur Kontrolle. Alles Gute für Sie!"
Matthias wirkte verzweifelt und die Schwester sah ihn mitleidig an. „Junger Mann, stützen Sie Ihre Arme auf die Krücken und stehen Sie vorsichtig auf. Ja, die Einstellung stimmt! Stellen Sie sich vor, dass Sie ein rohes Ei unter dem rechten Fuß haben. Sie dürfen den Fuß leicht auftippen, aber nicht auftreten. Gehen Sie einmal den Gang entlang: Links, rechts, links, rechts! Machen Sie langsam. Sie dürfen keinen neuen Sturz riskieren." Sie half Matthias wieder in den Rollstuhl und befestigte an der Rückseite die beiden Krücken. Als Herr Hagen den Stuhl zurückbrachte, sagte die Krankenschwester: „Erkundigen Sie sich im Sanitätshaus nach ausleihbaren Rollstühlen."

Im Auto schimpfte Herr Hagen: „Wie kannst du deine Freundin kurz nach ihrem Führerschein im Dunkeln mit dem Moped fahren lassen? Ihr hättet tot sein können!"
Matthias stand unter Schock. Wie sollte er die nächsten sechs Wochen durchstehen? Hilflos wie ein kleines Kind! Und die Abiturvorbereitungen und lange Zeit

ohne Basketball? Als sein Vater weiter über Elisa herzog, verlor er die Nerven und schrie ihn an. „Halt den Mund! Die abendliche Moped-Tour war meine Idee. Lass Elisa aus dem Spiel!"
Herr Hagen spürte, wie sein Blutdruck anstieg und der Kummer seines Sohnes sich in Aggression verwandelte. „Wir sollten ruhig bleiben", sagte er mit gepresster Stimme.

Nach zweieinhalb Stunden erhielt Elisa den ersehnten Anruf. Matthias erzählte von seinem Impressionsbruch. Elisa war entsetzt und versprach, ihn morgen nach der Schule zu besuchen. Doch im Hintergrund hörte sie die Stimme ihrer Mutter: „Du wirst auch zwei Tage zuhause bleiben. Ich kümmere mich um eine Krankmeldung."
„Matthias hat das Knie gebrochen und soll sechs Wochen mit Krücken laufen." Sie schluchzte laut. Margot nahm ihre Tochter in den Arm. „Es ist nun mal passiert. Er wird es dir nicht nachtragen, wenn er dich liebt."
Elisa lag lange wach. Ihre Schürfwunden brannten und es plagte sie ständig ein schlechtes Gewissen. Neben ihr scharrte Bella im Körbchen. Ihre Eltern hatten angeboten, sich die nächsten Tage um sie zu kümmern.

Margot zog über ihr Nachthemd einen dünnen Morgenmantel, trat auf den Balkon und betrachtete den Sternenhimmel. Wie schnell ein Leben durcheinandergeraten konnte! Es war nicht auszudenken, wenn Elisa oder

Matthias lebensgefährlich verletzt oder tot wären! Bisher hatte sie mit ihrer Familie immer Glück gehabt. Morgen wollte sie mit dem Fahrrad zur Mariengrotte im Wald fahren und eine Kerze anzünden. Sie lief ins Bad, putzte die Zähne, cremte ihr Gesicht ein und legte sich ins Bett. Weil sie einen Juckreiz spürte, kratzte sie sich vorsichtig mit den Fingerballen.
Joachim drehte sich zu ihr um. „Kannst du nicht einschlafen?“ Halbwach strich er Margot zärtlich übers Gesicht. „Hast du eine neue Creme? Die duftet intensiver und fühlt sich klebrig an.“
„Es ist ein biologisches Produkt aus dem Reformhaus.“ Sie spürte wieder Juckreiz und ein zunehmendes Spannungsgefühl. Sie lief noch einmal ins Bad. Joachim hörte einen schrillen Schrei und rannte zu ihr. Margot hielt zwei gleich aussehende 200ml-Tuben in der Hand. Die eine hatte einen grünen Verschluss, die andere einen weißen Deckel.
„Was ist passiert, um Himmels willen? Hast du die Produkte verwechselt?“
„Ja, ich habe für mein Gesicht die Feigwurz-Creme für die Beine genommen. Schau, die Kamillencreme hat den weißen Deckel.“
„Das ist doch kein Drama, es sind Naturprodukte. Aber bei Medikamenten hätte es schlimmer ausgehen können.“
„Die ganze Aufregung brachte mich durcheinander.“

„Ist schon gut! Reinige dein Gesicht sorgfältig, dann beruhigt sich die Haut. Nun brauche ich eine Mütze Schlaf! Sonst werden unsere Tiere morgen früh verhungern.“

Am nächsten Tag fuhr Frau Hagen ihren Sohn zum Sanitätshaus. Ein freundlicher Orthopädietechniker passte ihm die Knieorthese an, die durch sechs Riemen am Ober- und Unterschenkel befestigt wurde. „Lassen Sie die Schiene tagsüber an, so lange Sie es aushalten. Auf jeden Fall nachts tragen! Schieben Sie ein Kissen zwischen die Knie, falls Sie sich auf die Seite drehen. – Ein Leih-Rollstuhl wird Ihnen in den nächsten Tagen geliefert.“
Matthias und Elisa telefonierten an diesem Nachmittag lange. „Ich hopse wie ein Frosch im Haus herum. Beim Duschen hilft mir Papa, beim Essen Mama. Alles ganz schön bescheuert! Auch die komische Beinstütze nervt. Ich bin zwei Wochen krankgeschrieben, dann sehen wir weiter. Ich werde einen Rollstuhl bekommen, den ich eigentlich nicht will.“
„Prima! Damit kann ich dich spazieren fahren. Übermorgen gehe ich wieder zur Schule. Dann besuche ich dich.“

Elisa fertigte eine Bleistiftskizze für einen Bauernhof an. Ihr rechter Arm und die Finger schmerzten. Sie biss die Zähne zusammen.
Lehrer Gutmann fragte: „Elisa, hast du Schmerzen? Du hättest nach dem Unfall länger daheimbleiben sollen.“

„Sie wissen, dass ich den Kunstunterricht nicht verpassen will."
„Das ehrt dich. Doch du musst auf deine Gesundheit achten."
Frau Hagen machte sich mit dem neu gelieferten Rollstuhl vertraut, als Elisa ankam. Sie legten ihn zusammengeklappt ins Auto und fuhren zur städtischen Parkanlage.
„Leute, ich nehme alles aus einer anderen Perspektive wahr! Kinder und Hunde sind in meinem Blickwinkel. Nun kann ich nachempfinden, wie es einem Rollstuhlfahrer geht. Die Entscheidung war richtig, so komme ich wenigstens aus dem Haus."
Klassenkameraden brachten Matthias den Unterrichtsstoff und die Hausaufgaben. Mit Elisas Hilfe räumte er den Schreibtisch frei, legte wichtige Unterlagen in Greifweite und konnte so im Sitzen gut arbeiten.
Zwei Wochen nach dem Unfall fuhr ihn Frau Hagen zur Schule. Alles war organisiert. Sitznachbar Bertram trug seine Schultasche und half ihm, wo er konnte. Die Eltern eines Schulfreundes brachten ihn im Wechsel mit Frau Hagen nach Hause. Inzwischen konnte er sich mit den Krücken schnell fortbewegen.

Warum Matthias Angst vor Untersuchungen hatte, lag an seinen Kindheitserfahrungen. Mit vier Jahren kam er wegen einer Darminfektion an den Tropf und mit sechs Jahren wurde er am Trommelfell operiert.

Frau Hagen lernte in dieser Zeit *das Aktionskomitee Kind im Krankenhaus* kennen, das sich fast 60 Jahre um das Wohlergehen von Kindern und Jugendlichen kümmerte. Eltern oder Großeltern durften nun bei den kleinen Patienten im Zimmer übernachten und es wurde bunte Bettwäsche eingeführt. Frau Hagen engagierte sich beim AKIK-Bücherdienst und brachte auf einem Rollwagen Bilderbücher und Lesenswertes für Ältere in die Krankenzimmer.
Sie verstand die Ängste ihres Sohnes. Schon als kleiner Junge reagierte er mit panischem Schreien, wenn man ihm Blut abnahm oder eine Spritze gab.
Heute begleitete Frau Hagen ihn zum nächsten Arzttermin. Sein Bauch war durch die täglichen Spritzen blau unterlaufen und leicht geschwollen.
Dr. Schneider sah ihn eindringlich an. „Noch einmal vier Wochen mit den Spritzen kann ich Ihnen wohl nicht zumuten."
„Er ist täglich in Bewegung und wird sicher ohne sie auskommen", sagte Frau Hagen erfreut.
„Das kann ich trotzdem nicht verantworten! Ich mache Ihnen einen Vorschlag. Anstatt der Spritzen gibt es kleine blutverdünnende Tabletten. Sie müssen aber täglich eingenommen werden."
Matthias atmete auf. „In Ordnung!"
„Mit der Krankengymnastik warten wir noch. Doch einfache Körperbewegungen wie Füße kreisen, Oberkörper strecken..., das müssen Sie schon tun. – Ach, durch

die Krücken haben Sie eine Schleimbeutelentzündung im Ellenbogen, eine Bursitis olecrani. Ich schreibe Ihnen eine Bepanthen Wund- und Heilsalbe auf und eine Packung Vitamin D3 Tabletten. Wir sehen uns in zwei Wochen zum Röntgen wieder und in vier Wochen zum großen Blutbild."

Hinter Hagens Haus lag eine Seniorenwohnanlage, deren Grünflächen der Öffentlichkeit zugänglich waren. Elisa konnte dort den Rollstuhl bequem schieben. Hatte sie Bella dabei, wurden die Stimmen der Senioren weicher, wenn sie mit der Hündin sprachen. Eine Dame aus Breisach, die sich als Mechthild Ulrich vorstellte, lief mit dem Rollator vorbei. „Wir hatten in meiner Kindheit einen Schäferhund. Nun bin ich mutterseelenallein. Mein Mann und die Tochter sind an Krebs gestorben. Nur meine Schwester lebt noch bei ihrem Sohn an der Ostsee."
Ein ehemaliger Polizist erzählte Geschichten aus seinem Berufsleben. Mitleidig blickte er Matthias an. „Ich vermute, Sie haben nur das Knie gebrochen. Das wird wieder heilen. Mein Vater saß jahrelang im Rollstuhl, er hatte MS."

Joachim lud das reparierte Mofa vom Anhänger. Beschädigte Stellen waren ausgebeult und mancher Kratzer mit neuem Lack besprüht.
„Was bekommen Sie?", fragte Herr Hagen sachlich.

„Nichts! Elisa war für den Schaden verantwortlich.“ Bella sprang mit einem Satz ins Auto und Matthias winkte seiner Freundin nach. Liebevoll betrachtete er sein Moped. „Ich möchte es Elisa ausleihen, bis ich wieder fahren kann. Sie wird nach der Schule schneller hier sein.“

Sein Vater war empört. „Dieser Person, die dir alles eingebrockt hat, willst du dein Moped anvertrauen? Du solltest für dein Abitur lernen und die Besuche reduzieren.“

„Matthias kann entscheiden, ob er Elisa sein Moped geben will. Er kennt sie besser als wir.“

„Wir haben gesehen, wohin sein Vertrauen geführt hat“, brummte Herr Hagen. „Jetzt kommt es erstmal in die Garage.“

19. Berühmtheiten

Heidi Roser erschien am Nachmittag zum Kaffeetrinken. Danach machten sie einen Spaziergang durch das Städtchen. Miriam erzählte von ihrem Urlaub mit Julian und dass Elisas Freund sich das Knie gebrochen hatte. Die Ereignisse sprudelten aus ihr heraus und Heidi hörte geduldig zu. Dann sprachen sie über Tamaras Schwangerschaft und die Hochzeit am 11.11. „Ich bin auch eingeladen!“, sagte Heidi. – „Ich habe dir eine DVD über den Maler Gustav Klimt mitgebracht.“

„Dann wollen wir sie daheim gleich anschauen!“, schlug Miriam vor.

Nach dem Film wirkte sie etwas ratlos. „Klimts Leben ist verwirrend! Dass die Damen teils nackt herumsprangen, fand ich gewöhnungsbedürftig.“

„Dein Lieblingsmaler, der Impressionist Auguste Renoir, hat auch viele Aktbilder geschaffen. In der Kunst scheinen sie früher unbefangener mit der Körperlichkeit umgegangen zu sein.“

„Bei Renoir mag ich besonders die romantisch gemalten Mädchen- und Frauenbilder. Dass Gustav Klimt so ein Frauenheld war, der viele Kinder zeugte, und 1918 mit 56 Jahren an Lungenentzündung gestorben ist, wusste ich nicht.“

„Außer den erotischen Gemälden gab es ja noch andere im Film wie *Tod und Leben*. Bis heute findet man seine Bilder auf Kissen, Taschen und Kalendern. Besonders bekannt ist das Motiv: *der Kuss*. Ich besorge jährlich seinen neuen Kalender."

Am Sonntagmorgen fuhren sie zu den Todtnauer Wasserfällen. Nach zwei Stunden Gehzeit, in denen sie auch über die 450 Meter lange Hängebrücke liefen, aßen sie im Hotel Engel in Todtnauberg zu Mittag.
„Babsy und Alois sind heute in Schwarzach bei einem Herbstfest der Altkatholiken engagiert. Wollen wir dort vorbeigehen?"
„Ja, gern."
Miriam erzählte von Alfred Jung, seinen Töchtern und dem tödlichen Unfall seiner Frau.
Hinter der Kirche fanden sie einen Parkplatz. Fröhliche Musik tönte ihnen entgegen und bunte Luftballons schwebten am Himmel. Barbara wartete mit den Kindern am Waffelstand und winkte ihnen zu.
Herr Jung begrüßte Miriam erfreut. „Heute noch eine reizende Dame dabei?" Er nickte Heidi zu und stellte sich vor. „Alfred wie mein Opa, aber mein Rufname ist Fred."
„Heidi Roser!", erwiderte sie, als er ihr die Hand gab.

Die Mädchen kamen mit frischgebackenen Waffeln angerannt. „Wer bist du?", fragte Katarina.
„Ich bin eine Bekannte von Miri und Babsy. Wir waren zusammen bei einem Wochenende am Bodensee."

„Wir unternehmen oft etwas mit den beiden. Willst du einmal mitkommen?“
„Lasst Frau Roser in Ruhe und esst eure Waffel fertig! Kornelia, du hast Puderzucker auf dem Anorak.“
Miriam wischte ihn mit einem Taschentuch weg. „Halb so schlimm!“
„Babsy, wo hast du Alois gelassen?“
„Nach dem Mittagessen ging er zum 80. Geburtstag eines Onkels.“
Der Wind wurde stärker und Alfred schnappte die beiden selbstgebastelten Drachen und lief mit den Töchtern zur Wiese.
„Es hat Spaß gemacht!“, sagte Kornelia, als sie wieder an den Tisch zurückkamen. „Hast du auch Kinder?“
„Nein, ich lebe allein und bin erst 27 Jahre alt.“
Katrin, die eine Tüte Gummibärchen in der Hand hielt, sah sie aufmerksam an. „Meine Mama war 27 Jahre alt, als ich geboren wurde und mit 32 Jahren ist sie gestorben.“
Alfred nahm die Kleine in den Arm. „Liebes, wir vermissen Mama alle.“
Durchs Mikrofon bedankte sich der Pfarrer für die SOS Kinderdorf-Spenden und bei allen aktiven Helfern und Helferinnen. Er sprach ein Segensgebet und lud zum Mitsingen des letzten Liedes ein.

Nehmt Abschied Brüder
Ungewiss ist alle Wiederkehr
Die Zukunft liegt in Finsternis
Und macht das Herz uns schwer

Der Himmel wölbt sich übers Land
Ade, Auf Wiedersehn
Wir ruhen all in Gottes Hand
Lebt wohl, Auf Wiedersehn…

Beim letzten Vers schmetterten alle begeistert mit.

„Es ist nicht leicht, den Mädchen Vater und Mutter zu sein. Wenn sie mit Barbara und Miriam unterwegs sind, wirken sie glücklicher und ausgeglichener."
Heidi, die ihn mitfühlend ansah, verabschiedete sich. „Mein Auto steht bei Frau Schuhmann und ich muss noch eine längere Strecke bis Breisach fahren."
„Es war mir eine Freude, Sie kennenzulernen."
„Du hast schöne rote Haare", sagte Katarina. „Solche will ich auch, wenn ich groß bin."
Auf dem Rückweg wirkte Heidi sehr nachdenklich. „Ich danke dir für das abwechslungsreiche Wochenende! Fred hat hübsche aufgeweckte Mädchen. Wie alt ist er eigentlich?"
„Ich glaube, sechsunddreißig Jahre. Er kümmert sich aufopfernd um die Kinder."

Miriam richtete sich ein Abendbrot und trug alles auf dem Tablett ins Wohnzimmer. Sie wollte nach den Nachrichten den Rosamunde Pilcher-Film schauen. Das Telefon klingelte. Auf dem Display stand: Gertrud Lauer. Sollte sie den Anruf ignorieren? Oder kurz abnehmen und sie auf später vertrösten? Sie entschied sich für einen ungestörten Abend.
Wie häufig bei den Herz-Filmen hielten sich schöne reiche Menschen in herrschaftlichen Villen oder zauberhafter Landschaft auf. Die Hauptdarstellerin stand zwischen zwei Männern, einem verflossenen und einer neuen Liebe. Nach einigen Komplikationen würde er ihr Herz erobern. Miriam machte es Spaß, die durchsichtig aufgebaute Handlung zu durchschauen. Richard hatte Krimis bevorzugt, die er an seinem Computerbildschirm ansah.
Nach dem Film-Happy End wählte sie Gertruds Nummer. Sie gestand ihr, dass sie wegen des Pilcher-Filmes nicht ans Telefon gegangen war.
„Ehrlich bist du wie deine Mutter. Gott hab sie selig! – Ich sticke gerade eine Sommer-Landschaft und höre Roy Black-Schlager: *Du bist nicht allein*... läuft gerade."
„Mama war auch Roy Black-Fan."
„Weißt du noch, als Roy zwei Jahre vor seinem Tod in der Heitersheimer Stadthalle auftrat? Hanna brachte ihm eine Rose auf die Bühne und bekam einen Kuss auf die Wange."
„Ich erinnere mich gut. Mama wollte sich nicht mehr

das Gesicht waschen! – Ich habe ein Gedicht von ihr aus den 90iger Jahren in einem Herzrahmen gefunden. Es heißt: *So wie damals.* Ich kann es dir gern kopieren."

Gertrud berichtete aufgeregt, dass sie gestern mit ihrer Tochter Simone drei Stunden im Roy-Black-Museum in Dortmund war. „Es ist eine Dachgeschosswohnung im Haus des Ehepaars Tiemann, bei denen Roy Black zwanzig Jahre zu Gast war. Sie lernten ihn 1971 auf der Bundesgartenschau in Köln kennen. Er trat noch unter seinem Geburtsnamen Gerhard Höllerich auf. Sie freundeten sich an und er fand bei ihnen Familienanschluss. Hatte er ein Konzert in der Nähe, wohnte er bei Ihnen im Dachgeschoss. Tiemanns haben die Wohnung unverändert als Museum erhalten."

Miriam versuchte Gertruds Redefluss zu unterbrechen, doch sie schwärmte weiter.

„Ich habe ein Plakat von Roy Black, alte Filme, Autogramme und ein tolles Buch erstanden: *Roy Black und sein Leben*. Darin gibt es Fotos von Filmen und Konzerten, der Exfrau Silke und der letzten Liebe Carmen Böhning mit dem gemeinsamen Kind."

Miriam begann laut zu gähnen. „Ich hatte am Wochenende eine Freundin hier und war den ganzen Tag unterwegs. Wir müssen jetzt Schluss machen, denn morgen früh ist wieder Schule. Genieße deine vielen Andenken! Gern schicke ich dir Mamas Roy Black-Gedicht zu."

„Ich habe eine Bahncard 50 gekauft. Ich könnte dich mit

dem Zug besuchen und das Gedicht mitnehmen. Ich will dir auch die Fotos vom Museum zeigen."
Miriam überlegte, wie sie den unvermeidlichen Besuch hinter sich bringen könnte. Babsy war nächstes Wochenende bei Max in Oberhausen und in drei Wochen heiratete Tamara. „Willst du am Samstag vorbeikommen? Dann gedenken wir der Zeiten mit Gerhard Höllerich."
Gertrud war Feuer und Flamme. Das Date für nächsten Samstag stand fest.

Sie tranken in der Küche Kaffee. Gertrud hatte auf dem Esstisch im Wohnzimmer ihre Andenken, Autogramme und Heftchen vom *Schloss am Wörthersee* ausgebreitet. Miriam betrachtete das mitgebrachte Material und die zahlreichen Handy-Fotos.
„Gern kannst du etwas aussuchen. – Tiemanns haben uns mit Saft und Brezeln bewirtet. Nur drei Leute dürfen gleichzeitig zur Führung, da es in den überfüllten Räumen sehr eng ist."
„Gertrud, hier ist Mamas Gedicht, das ich in einem Ordner gefunden habe."

Sie begann zu lesen:

Roy Black – So wie damals

Weht jetzt der Wind auch
kalt in mein Gesicht.

Es ist vorbei...
Unvergessener Roy Black,
deine Fans werden dich
in guter Erinnerung behalten.
Du mögest im Licht leben –
Ganz in Weiß...

„Ich werde eine Kopie des ganzen Gedichtes zu Tiemanns ins Museum schicken. Sie nehmen alles, was sie noch nicht haben. – Unten auf das Blatt schreiben wirl: Hanna Schuhmann, 1992."
Miriam schmunzelte über die ausführliche Beschreibung von Graceland von Aplerbeck, der Gedächtniswohnung von Roy Black an der Stadtgrenze Dortmunds. Nach dem Abendessen brachte sie Gertrud Lauer zum Bahnhof.

Jetzt wollte sie nur noch entspannen. Sie machte ihre logopädischen Übungen, ließ ein warmes Fichtennadelbad einlaufen und kochte Lindenblütentee. Nach einem Bandscheibenvorfall vor fünf Jahren hatte sie ihre Aktivitäten stark eingeschränkt. Nun lief sie wieder Gefahr, mehrere ehrenamtliche Anfragen anzunehmen. Gerade wollte sie es sich mit dem ‚Zitronenbuch' auf dem Sofa bequem machen, als das Handy piepste.
Es war Julian und ihr Herz klopfte aufgeregt. Er teilte ihr mit, dass er in einem Dating Portal eine nette gleichaltrige Freundin namens Lea gefunden habe, die nur zehn

Kilometer entfernt wohnte. Morgen würde er seine Tante Erika besuchen und sie könnten sich gern zu einem Spaziergang treffen. Miriam lehnte ab. Sie hatte den Sonntag mit Joachim und Familie geplant. Sie wünschte ihm alles Gute und spürte etwas Liebeskummer. Als sie in ihrer Plattensammlung kramte, entdeckte sie Roy Black-Lieder, die sie früher mit Mama angehört hatte.
Ich denk an dich ..., Ganz in Weiß ...tönte es scheppernd aus dem alten Plattenspieler. Sie wischte sich ein paar Tränen aus den Augen.

Sieben Stunden später schrillte der Wecker. Noch ein kurzes Frühstück. Sie wollte zur Freiauer Kirche fahren, wo ihre Neffen bei einem Jugend-Gottesdienst mitwirkten.
„Machtkämpfe, Ungerechtigkeit und auch Ausländerfeindlichkeit gibt es seit Menschengedenken", sagte der Priester in der Predigt. „Wir sind alle Kinder Gottes und sollten in Frieden auf dieser Erde leben."
Spätabends rief Barbara an und berichtete von der Geburtstagsfeier ihres Sohnes. Max hatte sie stolz seinen Freunden und Bekannten vorgestellt. Er wollte am zweiten Weihnachtstag mit dem Zug kommen und drei Tage bleiben. Sie war außer sich vor Freude.
Da die Freundinnen beide ein anstrengendes Wochenende hatten, wünschten sie sich gute Nacht und verabredeten sich morgen im Café Capri.

20. Lebensfreude

Tamara fuhr mit ihrem Verlobten bei Burgers vorbei. Jogi öffnete die Tür. „Wart ihr beim Friseur?“
Marco lachte. „Wäre schlimm, wenn man nicht sehen würde, dass ich einen Teil meiner Haarpracht geopfert habe. Von schulterlang zu traditionell gestuft!“
„Tamara, du wirkst mit dem kinnlangen Haar sehr verändert.“
Margot umarmte sie. „Schon mit neuer Brautfrisur? Dein hübsches Gesicht kommt besser zur Geltung. Was haben deine Eltern gesagt?“
„Papa meinte: „Meine Kleine ist eine Dame geworden!“
„Hast du schon ein Brautkleid?“, fragte Elisa.
„Nein! Ich muss mich noch umschauen. Die Kleider im Schaufenster und in den Katalogen sind sehr teuer.“
„Für einen Tag ein Kleid zu kaufen ist umweltpolitisch Blödsinn“, bemerkte Jogi.
„Ich kann es als Abendkleid einfärben lassen. Oder soll ich ein gebrauchtes Brautkleid nehmen? Dann würden wir Geld sparen, das wir anderweitig brauchen könnten.“
Marco nickte. „Ich habe kein Problem damit. Du wirst in einem getragenen Hochzeitskleid auch wunderschön aussehen.“
„Ihr braucht es nicht jedem auf die Nase zu binden“, sagte David. „Hauptsache, die Ehe hält.“
Am nächsten Tag erstand Tamara im Second-Hand Shop

für Brautkleider ein romantisches Hochzeitskleid, das ihr Babybäuchlein schmeichelhaft umspielte.

Zwei Wochen vor der Hochzeit rief Sabine an. „Melissa wird nicht kommen. Ihr Vater feiert am gleichen Tag den 75. Geburtstag. Die Eltern wohnen in Saarbrücken und sie bekommt nicht beides unter einen Hut."
Miriam fiel ein Stein vom Herzen. Schon öfters hatte sie sich das Treffen mit Richard und seiner Geliebten ausgemalt.
„Du bist so schweigsam?"
„Wenn ich ehrlich bin, ist mir ihre Abwesenheit lieber."
„Tamara und mir wird sie auch nicht fehlen! – Morgennachmittag will ich meine Eltern besuchen. Möchtest du mitkommen?"
„Sehr gern!"

Lydia Schuhmann öffnete den beiden die Tür und Kaffeeduft strömte ihnen entgegen.
„Miri, schön, dass du da bist! Sabine hat mich gestern schon informiert. – Heute Morgen gab es eine große Aufregung! Ich duschte gerade, als Hans bei dieser Kälte in Schlafanzug und Pantoffeln zum Bäcker lief. Er wollte Brötchen holen. Unsere Nachbarin brachte ihn zurück."
Miriam drückte ihren Schwiegervater herzlich. „Wie geht es dir? Freust du dich auf Tamaras Hochzeit?"
„Danke, mein Kind, das ist sehr freundlich! Bald gehen wir nach Birkenheim."

„Das Wohnheim Birkenwald kenne ich auch. Barbaras Mutter lebt dort und es gefällt ihr gut."
„Heiratet Barbara jetzt?"
„Nein! Deine Enkelin Tamara wird bald heiraten."
„Die ist noch viel zu jung!"
„Schatz, sie ist 27 Jahre alt! – Halt, keinen Zucker auf den Apfelkuchen streuen, er ist für deinen Kaffee!"
„Ich liebe aber süßen Kuchen!", verteidigte sich Hans. „Hast du Richard mitgebracht?"
Sabine blickte ihren Vater sorgenvoll an. „Miriam und Richard haben sich getrennt. Er lebt jetzt mit einer Kollegin zusammen."
„Der Schlingel schlägt mir nach. Lotte mit den roten Locken!", schwärmte er.
„Ich weiß, Charlotte war deine frühere Verlobte."
„Kommt Richard später?", fragte er Miriam. Sie schüttelte den Kopf. „Ihr könnt auf meinem Smartphone Urlaubsbilder von der Adria anschauen."
„Hans, kannst du dich an unsere Venedig-Reise nach der Goldenen Hochzeit erinnern? Wir waren verliebt wie am ersten Tag."
„Sind wir ja immer noch. Wo ist Richard auf den Bildern?"
„Er war im Urlaub nicht dabei."
„Wer ist der nette Mann neben dir?"
Miriam errötete. „Julian Wesel, ein Mitreisender, mit dem ich einiges unternommen habe. Wir verstanden uns gut, aber er wohnt weit weg."

„Schau! Richard hat zwei Überwachungskameras aufgestellt, damit wir den Hauseingang und die Straße beobachten können."
„Die Geräte waren schon in unserer Wohnung. Dann hat sie euer Sohn zu Melissa mitgenommen. Die scheinen sie auch genervt zu haben. Deshalb hat er sie hierhergebracht."
„Richard ist ein großer Bastler", bemerkte Hans. „Wann kommt er denn?"
„Heute wohl nicht mehr! – Miri, es tut mir leid, dass es mit euch so gekommen ist. Du hast besser zu Richard gepasst als diese aufgetakelte Kollegin. Du strahlst Fröhlichkeit aus und bist sozial engagiert." Sie zitierte: „Die Freude, die wir schenken, kehrt ins eigne Herz zurück. – Richard hat seine egoistische Art von Hans. Er kümmerte sich wenig um das Wohl des anderen und drückte sich vor Haus- und Gartenarbeit."
„Ja, Richard hat von mir viel Gutes geerbt! – Sabine, was schaust du immer auf dieses kabellose Telefon? Neulich ist ein Mann fast von einem Auto überfahren worden, weil er während des Laufens darauf herumtippte."
„Hans hat recht. Das Auto hupte und er rannte weg. Ich habe für den Notfall Tamaras altes Handy in der Tasche. Falls etwas passiert wie beim Banküberfall."
„Das wollen wir lieber vergessen!"
„Ich vergesse auch immer mehr", sagte Hans. „Aber solange ich euch noch kenne, ist alles nicht so schlimm."
Lydia lächelte ihn liebevoll an und nahm seine Hand.

Miriam sagte. „Man kann sich an ein Smartphone gewöhnen. Ich will es nicht mehr missen. Ich habe momentan 89 Kontakte, 350 Videos und 2000 Fotos darauf."
„Das ist verrückt!", rief ihre Schwiegermutter. „Da muss man dauernd schauen, ob sich jemand gemeldet hat und den Leuten antworten."
„Mama, die Technik schreitet in Riesenschritten voran. Außer telefonieren kann man mit dem Handy Fotos machen, ins Internet gehen, Musik hören, eine Nachricht darauf sprechen..."
„Wir haben auch einen Anrufbeantworter."
„Papa, das ist etwas Anderes. Tippst du eine Nachricht ein, können es die anderen sofort lesen."
„Das wird mir zu schwierig", sagte Hans und blätterte in einem Fernsehheft.
„Miri, hoffentlich gibt es bei Tamaras Hochzeit zwischen dir und Melissa keine Eifersuchtsszene."
„Sie kommt nicht, sondern feiert den 75. Geburtstag ihres Vaters."
„Dann ist ja gut!", antwortete Frau Schuhmann erleichtert.

Miriam ließ sich überreden, mit Sabine nach Hause zu gehen. Es empfing sie das gewohnte Chaos: In Flur und Arbeitszimmer lagen Papierberge und Ordner auf dem Boden. Das Frühstücksgeschirr stapelte sich neben der

nicht ausgeräumten Spülmaschine. Wäscheberge türmten sich im Badezimmer. Babsy sollte hier ihre Aufräumkünste beweisen! Bernd legte meistens wortlos Hand an, wenn er von der Arztpraxis heimkam.
Momentan schien Sabine besonders gestresst zu sein. „Denk daran, bald ist die Hochzeit deiner Tochter! Du solltest das Haus für die Gäste herrichten."
„Das will ich auch, fange aber immer beim Unwichtigen an." Sie zeigte zwei halbfertige Aktzeichnungen. „Die Kunstprüfung kommt auch bald."
Sabine hatte Zeichentalent und eine exakte Linienführung. Als sie ein Portrait von Bella malte, dachte Miriam, der Hund säße tatsächlich vor ihr.
Sie klagte weiter: „Es wächst mir alles über den Kopf! Die Hochzeit, das Baby, die Abschlussprüfung, der bevorstehende Umzug meiner Eltern..."
„Ich nehme dich morgen zu Barbaras Autogenem Training mit. Das wird dir guttun. – Sprich mir leise nach: *Ich bin ganz ruhig und entspannt... Tiefe Ruhe zieht durch meinen Körper... Nichts stört mich, nichts belastet mich...*"
Sabines Aufregung verflog. „Gut, ich komme morgen mit. Ich muss unbedingt loslassen lernen."
„Ja, auch einiges von deinem Kram! Und traue deiner Tochter mehr zu. Sie wird die Sache schon schaukeln."

Bernd und Tamara kamen vom Einkaufen. „Wie war der Besuch bei Lydia und Hans?"

„Papas Demenz ist schlimmer geworden. Da kommt einiges auf uns zu."
„Sabine hat zu viel um die Ohren. Ich nehme sie morgen mit zu Barbaras Autogenem Training."
„Eine gute Idee!"
„Tamy, Opa checkt es mit deiner Hochzeit nicht. Er meinte, du wärst viel zu jung."
„Vor der Feier gebe ich ihm ein Beruhigungsmittel."
„Bernd, aber nur ausnahmsweise! Wir wollen es nicht, auch wenn er manchmal laut wird. Unsere Eltern sind im Seniorenheim nun an zweiter Stelle. Ein Paar auf der Liste zog zu ihrem Sohn. – Kind, ich bin so stolz auf dich, dass du die Prüfung vor der Hochzeit mit Bravour geschafft hast. – Miri, ich zeige dir mal Tamaras Hochzeitskleid. Marco ist ja nicht da."
„So alt der Brauch ist, sehr wirksam scheint er nicht zu sein", bemerkte Bernd. „Die meisten Männer sehen das Brautkleid nicht vorher und trotzdem hält die Ehe oft nur wenige Jahre."
„Mama, ich kann Miri mein Kleid selbst zeigen! Nimm es bitte nicht aus der Hülle, wenn ich nicht dabei bin!"
Sabine lief schmollend hinter den beiden her. „Friseur Breuner wird Tamara die Frisur machen, das Fotogeschäft Riller die Fotos, den Brautstrauß und die Tischblumen richten die Gärtnerei Strobl."
„Mama! Du wirkst aufgeregter als ich! Geh auf jeden

Fall morgen mit Miri zum Autogenen Training." Sie versorgte die Lebensmittel und ihr Vater räumte die Spülmaschine aus.

„Ein Augenblick der Seelenruhe ist besser als alles, was du sonst erstreben magst! – Diesen Spruch aus Persien sollten wir beherzigen", sagte Barbara, bevor sie die Entspannungsübungen begann. Sabine gefiel der Abend und sie meldete sich für den laufenden Kurs an. Ihre innere Unruhe verbesserte sich. Sie hielt sich nun weitgehend aus Tamaras Hochzeits-Vorbereitungen heraus. Kurz vor dem Fest wurde mit Barbaras Hilfe Brauns Wohnung aufgeräumt und einiges in den Keller gestellt.

Die standesamtliche Trauung fand im engsten Kreis statt. Am Tag darauf um 14 Uhr versammelte sich eine große Hochzeitsgesellschaft vor der Kirche.
Tamara trug über ihrem langärmligen weißen Spitzenkleid eine Seidenjacke. Das kinnlange Haar war mit weißen Bändern geschmückt.
Marco, in einem dunkelblauen Anzug mit weißer Fliege, war von ihr verzaubert. „Du bist wunderschön", flüsterte er seiner Braut ins Ohr.
Gerührt wischten sich einige Hochzeitsgäste die Augen, als die beiden mit lauter und klarer Stimme einander Liebe und Treue gelobten.
„Na, Frau Braun-Walter, wie fühlst du dich?", fragte Marco nach der Trauung.

„Glücklich!“, sagte sie und küsste ihn. „Viele werden mich mit dem Familiennamen Walter ansprechen.“
„Egal wie du mit Nachnamen heißt, Hauptsache wir sind verheiratet und lieben uns.“

Es wurde im Hotel König gefeiert und zunächst Kaffee getrunken.
Freunde und Verwandte des Brautpaares sorgten für ein abwechslungsreiches Programm. Elisa und ihre Brüder trugen ein heiteres Gedicht vor und forderten alle zum Singen des Refrains auf: „Die beiden haben sich nun gefunden, wir wünschen ihnen glückliche Stunden.“
Eltern und Freunde schenkten dem Brautpaar meist Praktisches für den zukünftigen Haushalt. Elisa brachte ein Set Stoffhausschuhe in allen Größen, worauf blaue Babyschühchen gebunden waren. Von Miriam bekamen sie neben einer großzügigen Geldspende verschiedene Gutscheine.
Tamaras Großeltern überreichten ihnen ein Batikbild von Christel Holl. Es zeigte ein gelborange gekleidetes Paar auf einer Frühlingswiese. Er hatte den Arm um sie gelegt und sie hielt eine rote Rose in den Händen.
Erich betrachtete das Bild. „Frau Holl ist eine großartige Künstlerin. Ich habe aus Hannas Wohnung den lächelnden Engel mit Blattgold-Haaren bekommen.“
David berichtete: „Bei uns im Priesterseminar gibt es einen Postkartenstand von ihr. In ihren Werken spielen

Symbole eine große Rolle. So können drei Balken oder Säulen die Dreifaltigkeit darstellen und im bunten Lebensmosaik ist ein Kreuz versteckt. Bei den Lobpreisungen des Heiligen Franziskus gefällt mir besonders das Feuer, das in Rot-, Gelb- und Orangetönen flackert."
„Wo ist hier Feuer?", fragte Opa Hans verängstigt, der gerade mit Richard vorbeilief. Das verabreichte Beruhigungsmittel hatte gewirkt. Als er schläfrig wurde, setzte ihn Richard in Matthias Rollstuhl. Auf manche Fragen gab er verwirrende Antworten. Zu Tamara sagte er einige Male Sabine. Doch die meisten wussten von seiner Alzheimer-Erkrankung.

Klaus Polomski saß an Walters Tisch und lobte Tamaras Qualitäten. „Ich möchte vor Weihnachten ein Buch mit ihren Texten und Zeichnungen herausbringen."
Frau Walter nickte. „Wir sind mit Marcos Wahl zufrieden, denn Tamara ist ein nettes Mädchen. Beide sind Künstler und passen gut zusammen."
Miriam hatte ihren Platz bei ihrem Bruder mit Familie, Richard neben seinen Eltern und den Brauteltern. Zweimal forderte er sie zum Tanzen auf. „Hübsch siehst du aus in deinem Blumenkleid."
Miriam spürte ein Gefühl von Vertrautheit und Wärme, welches sie zu ignorieren versuchte.

„Unsere Eltern wollen nach Hause“, sagte Richard nach dem Abendessen und half seiner Mutter in einen grünen Lodenmantel.
Erich, der mit Bernd über seine Arthrose sprach, bat Richard, ihn mitzunehmen. „Ich habe einen Schlüssel zu Miriams Wohnung und möchte mich hinlegen.“
„Dann auf ihr drei! Allen noch einen schönen Abend! Die beiden Turteltauben werden auch bald ausfliegen.“

Bei fröhlicher Musik von Marcos Band wurde vergnügt das Tanzbein geschwungen. Nach einem Gitarrensolo dankte der Bräutigam den Gästen und Tamara für den schönen Hochzeitstag. „Möge unsere Liebe ewig bestehen!“ Sven hob sein Glas. „Wir trinken auf euch und das Kind, welches euer Glück besiegeln soll.“

Das Brautpaar verschwand kurz nach Mitternacht. Am nächsten Morgen wollten sie ihre Hochzeitsreise an den Bodensee antreten.
Tamara verstaute in einer Zusatztasche Zeichenblock, Bleistifte und Farben. Falls sie außer Marco die Muse küssen würde! Ihr Mann hatte sein Fahrrad auf den Fahrradständer geschnallt und wollte kleine Radtouren unternehmen. In dieser Zeit könnte sie Skizzen und Zeichnungen zum Gedichtband anfertigen.

21. Nächstenliebe

Burgers planten wieder einen Familienabend mit anschließendem Hauskonzert.
Auch Miriam, Astrid und Matthias waren eingeladen. Als Frau Hagen ihren Sohn mit dem Auto brachte, fragte Margot: „Möchten Sie nicht hierbleiben und unserem Hauskonzert zuhören? Das Essen ist reichlich und bei unserem Familiengespräch gibt es keine Geheimnisse."
„Das kommt überraschend! Doch das Bügeln kann ich verschieben. Und mein Mann ist sowieso beim Tischtennis spielen. Ich gebe ihm schnell Bescheid und werde die Einladung annehmen."
„Mama, eine gute Entscheidung! So brauchst du mich später nicht abzuholen. Matthias setzte sich in einen Sessel mit Hocker und legte bequem die Beine darauf. Er las die neuesten WhatsApp-Mitteilungen und löschte ältere Fotos. „Von den Bildern im Rollstuhl mit Orthese mache ich in der Drogerie Abzüge und hänge sie in mein Zimmer." Er fieberte seinem Röntgentermin entgegen. Hoffentlich würde er grünes Licht bekommen. Er wollte endlich Krücken und Orthese in die Ecke stellen und sein Bein wieder belasten. Solange genoss er die Rollstuhlfahrten durch den Park des Seniorenheimes.
Mit Mechthild Ulrich aus Breisach war ein freundschaftlicher Kontakt entstanden. Sie besuchten sie auf ihrem Zimmer oder tranken in der Cafeteria zusammen Kaffee.

Elisa hatte das Angebot ihres Freundes angenommen und sich sein Moped ausgeliehen. Damit fuhr sie oft zur Schule. Nächstes Jahr würde sie sich ein eigenes Fahrzeug kaufen.

Alle versammelten sich um den großen Couchtisch im Wohnzimmer.
„Seit dem letzten Familienaustausch hat sich manches getan: Elisas sechzehnter Geburtstag, die Malteserhündin Bella, der Moped-Unfall unserer Jüngsten, Tamaras Hochzeit, auch der psychisch Kranke im Wald..." Jogi hatte den Zeigefinger auf die Nase gelegt und wirkte nachdenklich. „Ich habe Hartmut Mosbach zweimal in der Psychiatrie besucht. Er hat keine Angehörigen und wird bald im Betreuten Wohnen für psychisch Kranke untergebracht. Vielleicht werde ich ihn an Weihnachten einladen."
„Das wussten wir nicht", sagte David erstaunt. „Was ihr für einen meiner geringsten Brüder getan habt, das habt ihr mir getan! Kapitel 25 des Matthäus-Evangeliums. – Papa, du bist für mich ein großes Vorbild! Ob du Lebensmittel verschenkst, dich für andere engagierst, in der Meditation inneren Frieden suchst oder für Mama und uns ein liebes Wort übrighast."
„Junge, du machst mich verlegen, auch vor unseren Gästen. In Bezug auf Herrn Mosbach wussten nur Margot und Miri Bescheid."

Daniel hielt Astrids Hand. „Oma Hanna hat immer gesagt, dass alle Menschen Kinder Gottes sind. Ich vermisse sie sehr.“
Elisa nickte. „Ich denke, es geht uns allen so.“
„Nächstenliebe war Mamas Lebenssinn. – Die Halbwaisen Katrin und Kornelia habe ich sehr ins Herz geschlossen. Ihr Vater und Heidi Roser lernten sich beim Kirchenfest in Schwarzach kennen. Sie scheinen einander sympathisch zu finden.“
Astrid strich ihr langes Haar zurück. „Miri, sie wird sich doch nicht in einen Witwer mit zwei Kindern verlieben! Das würde ich nie tun.“
Jogi streichelte Bella, die zu seinen Füßen lag. „Freds Frau ist erst verstorben und es wird sich zeigen, was die Zukunft bringt. – Elisa, möchtest du beim Hauskonzert mit der Querflöte beginnen?“
„Heute habe ich keine Lust zu musizieren. Ich probe ständig für das Schulkonzert. Darf ich mich ausklinken und mit Matthias die Musik auf dem Sofa genießen?“
„Ausnahmsweise.“
„Auch ich möchte mit der Harfe nicht im Mittelpunkt stehen. Ich bin in Gedanken noch bei der Vorlesung: *Glaube an ein ewiges Leben*?“
Joachim lachte. „Dann muss ich wieder mal den Ton angeben.“

Frau Hagen und Matthias verfolgten gespannt das Familiengespräch. So etwas kannten sie nicht. Wenn sie sich unterhielten, war es meist zwischen Tür und Angel. „Noch ein schönes Ereignis!“, ergänzte Miriam. „Barbara hat wieder Kontakt zu ihrem Sohn Max in Oberhausen. Sie haben gemeinsam seinen achtzehnten Geburtstag gefeiert und in den Weihnachtsferien wird er einige Tage kommen.“

Über Davids Gesicht huschte ein Lächeln. „Das sind die kleinen Wunder im Leben.“

Matthias hob seine Hand. „Kann ich auch etwas zum Thema Nächstenliebe sagen? Für mich waren die Begegnungen im Seniorenzentrum sehr bereichernd. Man kann die alten Menschen richtig liebgewinnen. Und ich habe seit meinem Kniebruch viel Hilfe erfahren. Dafür danke ich euch allen.“

Nun erzählte Miriam von Tamara, ihrem Studienabschluss, der Hochzeit und dem Baby.

„Wir sollten den Gesprächsteil abschließen und mit dem Musizieren beginnen“, schlug Margot vor.

Ihr Mann begann mit einem virtuosen Solo auf der Westerngitarre und die anderen Instrumente setzten ein.

Elisa fühlte sich berauscht von der Musik und den Erinnerungen der letzten Wochen. Sie spürte große Freude, in einer glücklichen Familie aufwachsen zu dürfen. – Wir könnten ein Adventskonzert im Seniorenheim geben, schoss es ihr durch den Kopf.

Nach der Hausmusik äußerte sie den Vorschlag und ihre Mutter war begeistert. „Ich spiele Klavier, du Querflöte,

David an der Harfe und Papa auf der Gitarre. Aber wir bräuchten wohl nicht alle aufzutreten, es reichen sicher ein bis zwei Leute. Tamara kann dazwischen eigene Gedichte und Geschichten vortragen."

„Wir fragen morgen Heimleiter Daul. Vielleicht hat er einen Termin frei", sagte Matthias.

Am nächsten Tag war Burgers Auftritt beschlossene Sache. Herr Daul freute sich über die Anfrage, da in der Weihnachtszeit ein Klavierspieler ausfiel.

„Nachmittags bei der Nikolausfeier am 6. Dezember bräuchten wir etwas Musik und am vierten Adventssonntag Klavierbegleitung der Weihnachtslieder. Besprechen Sie es mit der Familie."

Elisa dachte: Es ist nur Begleitmusik, aber Hauptsache, die Heimbewohner freuen sich. Vielleicht klappt es ein anderes Mal mit einem Hauskonzert.

Tamara und Marco kehrten erholt vom Bodensee zurück. Sie hatten beschlossen, die Wohnung der Großeltern zu übernehmen. Bis zu ihrem Umzug war Tamara in Walters Haus willkommen und machte es sich in Marcos großem Zimmer bequem. Mit Schwiegermutter Carmen verstand sie sich gut. Sie saßen zusammen im gemütlichen Wintergarten oder unternahmen kurze Spaziergänge. Wenn Schwiegervater Sven ihr einfühlsam zuhörte, merkte sie, dass er Psychologe war.

Am nächsten Mittag lud Klaus Polomski sie zu sich nach Hause ein. An den Wänden standen hohe übervolle Bücherregale. In seinem Wohnzimmer war der Kaffeetisch mit herbstlichen Servietten gedeckt. Tamara und Marco brachten ein Körbchen mit Rotwein- und Saftflaschen, wofür er sich herzlich bedankte. „Ich habe einen Hefekuchen gebacken. Tamara, eine Hälfte ist für dich ohne Rosinen."

Nach dem Kaffeetrinken sah Klaus ihre Unterlagen und Skizzen durch. „Gelungene Zeichnungen! Das Gemälde mit den Booten wäre ein zauberhaftes Titelbild."

Er las die ersten Gedichte.

Ungleichheit

Kleiner Mensch, wohin wirst du geboren,
in welche Kultur und welche Tradition?
Ist Freiheit oder politische Unterdrückung
dir als Schicksal in die Wiege gelegt?
Wirst du in einer ärmlichen Hütte leben
oder goldgeschmückt in Saus und Braus?

Wie weit beachten deine Eltern und Erzieher
deine persönlichen Wünsche und Eigenheiten?
Gönnen sie dir eine individuelle Entwicklung
oder wird dir ein Menschenbild aufgezwungen,
geprägt von Vorurteilen und blindem Hass?

Unabhängigkeit ist Sehnsucht aller Menschen,
für die unendlich viel Blut geflossen ist
in grausamen Kriegen seit Jahrhunderten.
Freiheit ist höchstes Gut für alle Menschen,
die im Gefängnis sitzen, oft auch unschuldig,

die unterdrückt werden, weil sie Frauen sind,
Andersdenkende oder Ausgebeutete.
Freiheit zu finden und sie auszukosten
ist ein großes Glück für alle Lebewesen,
für das es sich lohnt, sich zu engagieren.

Kind der Liebe

Kind des Schicksals, wo bist du geboren?
Wo ist deine Heimat, wo ist dein Zuhaus?
In Krieg und Not, im Kampf ums täglich Brot,
im Grauen von Naturkatastrophen
bettelst du ums einfache Überleben.

Kind der Liebe, wo bist du geboren?
In einem einfachen Stall in Bethlehem,
stellvertretend für alle Kinder dieser Welt.
Überlassen wir sie nicht ihrem Schicksal.
Lasst uns Blumen des Friedens pflanzen!

Klaus runzelte die Stirn. „Zwei sozialkritische Gedichte über Freiheit und das Schicksal von Kindern. Vielleicht

kann man sie in einem Text zusammenfassen?“
„Oft habe ich gute Gedanken, ein anderes Mal sitze ich da und finde keine Worte.“
„Meine Bücher sind mir auch nicht in den Schoß gefallen. Manchmal grübelt man über einen Satz eine Viertelstunde! – Den Rest der Gedichte und die Beschreibungen zum Bodensee lese ich später. Wir sollten das Buch in Kapitel aufteilen: Naturgedichte, Mitmenschliches, Alltag mit Humor, Religiöses, ... Ich würde mit Lyrik zur Natur beginnen und das Thema Weihnachten an den Schluss setzen. Dein Werk wird etwa fünfzig Seiten umfassen. Aber ohne finanziellen Zuschuss geht es bei mir nicht. Ich habe auch Unkosten und keine Reserven.“
„Was wird es kosten?“
„Eine Erstauflage von hundert Büchern mit zehn Farbseiten liegt im Bereich von 1000 Euro. Da wäre ein kleines Honorar für mich dabei. Nachdrucke werden günstiger.“
„In Ordnung, Polo! Meine Eltern unterstützen mich. Ich freue mich darauf, mein erstes eigenes Buch in der Hand zu halten.“

Am 6. Dezember brachte Elisa das Moped wohlbehalten zurück. Die Fahrt im Winter bei Schnee und Glatteis war ihr zu gefährlich. Da Matthias sein Knie noch schonen sollte, wurde es wieder in die Garage gestellt.

Elisa war aufgeregt, denn in wenigen Stunden sollte die Nikolausfeier im Heim stattfinden. David konnte mit der Harfe erst in letzter Minute da sein. Notfalls würde sie schon einige Stücke auf der Querflöte spielen.
„Die Menschen freuen sich immer über Abwechslung, da kommt es nicht auf jeden Ton an", sagte Frau Hagen.
„Wenn ich spiele, muss es stimmen, da bin ich Perfektionistin."
„Jetzt lasst uns essen! Ich habe vegetarische Schnitzel gekauft. Dazu gibt es Kartoffelbrei und gemischtes Gemüse. Guten Appetit! – Ich habe gelesen, dass wir Deutschen zu den größten Fleischessern gehören. In Kindergarten und Schule wollen sie jetzt öfters vegetarisch kochen."
„Das wäre wünschenswert. Es gibt Untersuchungen, dass fleischlos aufgewachsene Kinder keine gesundheitlichen Defizite haben. Gründe gegen den Fleischverzehr sind die Wassermengen beim Schlachten, Getreideverschwendung, Fleischskandale und Tierquälerei..."
„Es ist gut, Elisa! Wir sollten rechtzeitig loskommen und mit den Senioren Kaffeetrinken. – Ich bin so froh, dass ich nächste Woche die Krücken weglassen darf. Rollstuhl und Orthese müssen wir ins Sanitätshaus zurück bringen."
„Junge, du brauchst dich nicht darum zu kümmern. Du hast die schreckliche Zeit tapfer durchgestanden!"

Der Nikolaus schenkte den teils ängstlichen Heimbewohnern ein Säckchen mit Obst und Schokolade. Nach den Musikbeiträgen von Elisa und David klatschten alle begeistert.
„Wir haben den Leuten auf jeden Fall Freude gemacht“, sagte Elisa. Sie gab Matthias einen langen Abschiedskuss. „Am vierten Adventssonntag sind Mama und Papa hier im Einsatz. Zuvor haben wir noch unser großes Konzert „Licht im Dunkel“ in der Heitersheimer Kirche.

Als sie in Freiau ankamen, fragte Elisa: „David, gehst du mit mir und Bella noch ein bisschen spazieren?“
„Okay! Damit du nicht allein herumirren musst!“
Abends beschloss Elisa, die neuesten Ereignisse wieder ihrem Tagebuch anzuvertrauen.

22. Winterzeit

Elisa zog ihren Kopf vom geöffneten Fenster zurück, durch das eiskalter Wind hereinwehte. Schimmernder Schnee lag im Garten und auf den Dächern.

Noch schnell mit David und Papa frühstücken, die unten schon ihren Kaffee tranken! Sie wollte den früheren Bus nehmen, um mit Sylvia vor der Mathearbeit Aufgaben zu wiederholen.

Mit neuen blauen Winterstiefeln stapfte sie aus dem Haus. Da die Gehwege nicht gestreut waren, musste sie aufpassen. Oft war es glatt unter der dünnen Schneeschicht.

„Guten Morgen, Fräulein Burger!" Der Zeitungsbote tauchte plötzlich aus der Finsternis auf. „Mit dem weißen Mantel kann man Sie im Dunkeln gut erkennen. Geht es in die Schule?"

„Ja! Wegen einer Klassenarbeit bin ich früher dran."

„Dann viel Glück und einen schönen Tag."

Elisa lebte gern auf dem Land. Vereinzelt fuhren Autos und Hundebesitzer führten ihre Lieblinge Gassi. Auch Mama würde nachher mit Bella spazieren gehen. Sie wickelte ihren rosa Wollschal um den Kopf. Hätte sie nur eine Mütze aufgezogen! Zum Glück trug sie die gefütterte lange Steppjacke, Schal und Handschuhe.

Der Bus kam angefahren und sie beschleunigte ihren Schritt. Als sie einstieg, schoss ihr die Wärme ins Gesicht. Ein junger Mann in Jeans und Lederjacke lächelte

ihr zu. Nur mit der Fettcreme im Gesicht glühte sie sicher wie eine Tomate. Sie bekam schnell rote Wangen, auch beim Sport und wenn sie sich aufregte. Meist verwendete sie Abdeckpuder oder trug ein deckendes Makeup auf.
„Die empfindliche Haut hast du von Oma geerbt!“, hatte ihr Vater schmunzelnd erklärt. „Aber ebenso ihr großes Herz!“

Die Scheiben ihres Polos waren zugefroren! Sabine hatte heute in der Kunstakademie ein wichtiges Gespräch mit dem Dozenten. Sie wollte bald ihr mehrjähriges Kunststudium abschließen. Sie könnte zur Busstation laufen und vom Bahnhof den Zug nach Großhausen nehmen.
Bernd, der das Frühstücksgeschirr einräumte, rief aus dem Fenster: „Sabine, warte! Ich hole mein Auto aus der Garage und fahre dich zum Bahnhof. Ich gehe dann früher zur Praxis.“
Im Wohnviertel war es noch ruhig und der Schnee erzeugte eine romantische Stimmung. Erst in der Bahnhofstraße belebten Taxis und Privatautos das Straßenbild. Sie erreichte knapp den Zug nach Großhausen und fand einen Platz. Ihre Gedanken schweiften ab. Ob sie als freischaffende Künstlerin überhaupt Geld verdienen würde?

Miriam stieg aus ihrem beheizten Auto und eilte ins Lehrerzimmer, als der erste Gong den Unterrichtsbeginn ankündigte. Während sie den Mantel und Schal ablegte, stieg ihr ungewohnte Kälte entgegen.
„Irgendetwas stimmt mit der Heizung nicht", sagte der Hausmeister, der kurz ins Lehrerzimmer schaute.
„Guten Morgen, Frau Schuhmann!", grüßten die Schüler der Religionsklasse 6a. Sie blieben stehen, da zu Beginn ein Lied gesungen oder auch ein Gebet gesprochen wurde.
„Wir singen im Kanon das Lied: Hallelu, hallelu, halleluja, lobet den Herrn."
Schon erschallten die Kinderstimmen mit manch falsch getroffenen Tönen. Doch das tat der Begeisterung der Kleinen keinen Abbruch.
Die Klassenordner teilten die Bibeln aus. „Auf der letzten Seite seht ihr die Landkarte von Palästina zurzeit Jesu. Übertragt sie in euer Heft und fügt die wichtigsten Städte und Flüsse ein."
„Können Sie nicht wie andere Lehrer Kopien machen?", maulte Rudi.
„Ihr bekommt so viele Arbeitsblätter. Ein bisschen Kreativität und eigenes Zeichnen schadet nichts."
„Wir haben aber keinen Kunstunterricht und außerdem ist es heute so kalt", jammerte Margit.
Die Arbeitsweise der Schüler war sehr unterschiedlich. Während einige erst Umrisse zeichneten, hatten andere schon die Städte und Flüsse eingetragen. Miriam lief

durch die Reihen und lobte manche Schüler, die ihre Landkarte besonders schön gestaltet hatten.
„Mir ist kalt!“, beschwerte sich auch Pia und zog ihre Handschuhe an.
„Achtung, Achtung, eine Durchsage!“, tönte es aus dem Lautsprecher. „Da die Heizung im Haupt- und Nebengebäude ausgefallen ist, bekommen die Schüler ab der nächsten Stunde ‚kältefrei‘. Die Ursache wird schnellstmöglich behoben, damit morgen der Unterricht planmäßig stattfinden kann. Ende der Durchsage!“
Schon vor den letzten Worten des Rektors schallte Freudengeschrei von 500 Schülern durch das Gebäude. In Windeseile wurden die Hefte, Bücher und Stifte eingepackt.
„Moment, bitte herhören! Macht zuhause die Karte fertig! Viele brauchen nur noch auszumalen. Lernt schon für die Religionsarbeit nächste Woche über Abraham und Moses.“
„Sie wissen aber, dass wir noch andere Fächer haben“, schimpfte Jürgen. „Und zuhause besitzen wir keine Bibel, um die Städte und Flüsse einzutragen.“
„Ich leihe dir mein Heft“, bot Pia an. „Ich bin mit allem fertig.“
Jürgen steckte es ein und rannte mit einigen Schülern los, um den nächsten Bus zu erreichen. Manche telefonierten mit ihren Handys.
Margit und Pia stellten Fragen zur Klassenarbeit. „Könnt ihr bitte die Bibeln wegräumen?“, bat Miriam. „Stellt sie

Rücken an Rücken in die Kiste und bringt sie in den Medienraum.“
Ernst-Peter, der die restlichen Stühle hochstellte, wirkte traurig. „Meine Eltern arbeiten beide und ich habe kein Handy.“
„Geh zur Sekretärin Frau Hauser! Sie hat die Telefonnummern eurer Eltern. Vielleicht kann sie dir helfen.“

Im Gang vor dem Sekretariat herrschte reges Treiben. Im Lehrerzimmer gab es freudige Gesichter, aber auch laute Proteste. „Heute plante ich eine Mathe, -Englisch, - Bioarbeit... Und ich wollte die Grammatik für die Französischarbeit wiederholen, jetzt muss ich die Arbeit verschieben...“
„Eine Tasse Kaffee gefällig?“ Stefan konnte nichts aus der Ruhe bringen, keine frechen Schüler oder keifende Eltern. Miriam setzte sich zu ihm. Er brachte ihr Kaffee mit ein paar Schokoladenkeksen.
„Danke schön! Die zusätzlichen Freistunden kann ich gut gebrauchen. Ich muss Deutschdiktate korrigieren und neue Religionsarbeiten zusammenstellen.“
„Miri, mach halblang! Die Arbeit läuft nicht davon. Denk daran: Das Glück besteht aus Augenblicken!“

Sabine bummelte gemütlich durch die Bahnhofshalle und wartete auf den Zug nach Heitersheim. Seminarleiter Birkenstock hatte ihr Mut für die geplante Prüfung im Februar gemacht. „Bei Ihrer engagierten Mitarbeit und den gut benoteten Kunstwerken kann nichts mehr schiefgehen.“ Eine Tänzerin, die sie aus Holz geschnitzt hatte, war in einer Vitrine in der Akademie ausgestellt. – Sie sah im Handy, dass dreißig Leute ihre Schneefotos im Status angeklickt hatten. Sie legte es rasch in die Tasche zurück, denn der Zug fuhr ein. „Können Sie nicht aufpassen!“, rief sie empört, als ein Mann sie heftig rammte.
Sabine setzte sich zu einer Frau mit zwei kleinen Jungs, die in Pixi-Büchlein blätterten. Beim Rattern des Zuges spürte sie eine zunehmende Müdigkeit.
„Ihre Fahrkarte, bitte!“ Sabine schreckte auf und wühlte in der Handtasche, deren Reißverschluss offenstand. Wo war ihr Geldbeutel? Sie begann zu schwitzen.
„Mein Geldbeutel und das Handy sind verschwunden!“ Der Schaffner sah sie durchdringend an. „Können Sie sich ausweisen? Sonst muss ich Ihre Personalien aufnehmen und Sie steigen an der nächsten Station aus.“
„Auf dem Bahnsteig in Karlsruhe rempelte mich jemand an. Ich denke, ich wurde bestohlen. Ich habe auch keinen Ausweis mehr!“
„Mir fiel auf, dass die Dame mit offener Handtasche hereinkam. – Wollen Sie auch nach Heitersheim?“
„Ja! Was soll ich jetzt nur machen?“

Die junge Mutter ermahnte ihre Kinder, die sich gegenseitig die Zunge herausstreckten. „Darf die Frau weiterfahren, wenn ich ihre Fahrkarte bezahle?"
„Ausnahmsweise! Dann kostet es 18 Euro bitte. Aber Frau…"
„Sabine Braun!"
„Ich muss Ihre Daten aufnehmen." Erleichtert nannte Sabine Namen, Adresse und Telefonnummer. Sie gab sie auch der Sitznachbarin weiter.
„Ich bin Judith Schlosser. Vor einigen Jahren wurde mir ein Geldbeutel im Park gestohlen. Ich kann mich gut in Sie hineinversetzen. Gern dürfen Sie mit meinem Handy telefonieren."
Sabine nahm erfreut das Smartphone entgegen und rief Miriam an.
„Ich hole dich am Bahnhof ab und bringe das Geld mit", sagte ihre Schwägerin.

Sie gab Frau Schlosser das ausgeliehene Geld zurück und bedankte sich nochmals.
„Du bist immer für eine Überraschung gut!", sagte Miri im Auto. „Ich gehe morgen Mittag mit dir zur Polizei und den Ämtern. Dass du den Geldbeutel und das Handy zurückbekommst, ist unwahrscheinlich."
Sabine begann zu weinen. Alle im Handy gespeicherten Bilder und Nachrichten würden verloren sein!
Abends nahm Bernd sie tröstend in den Arm. „Ein Dieb-

stahl kann jedem passieren, besonders in der Weihnachtszeit. Aber scheinbar hattest du die Handtasche offengelassen. Wie oft habe ich dir gesagt…"
„Bernd, lass es bitte! Ich weiß, dass ich zerstreut bin. Ich habe an Skizzen gedacht, die ich zuhause von den Reisenden anfertigen könnte."
„Dann zeichne noch einen Taschendiebstahl dazu! Es ist ärgerlich, dass Geldbeutel und Handy weg sind, aber auch kein Beinbruch. Dann habe ich schon ein Weihnachtsgeschenk für dich. Solange bekommst du mein Zweithandy."
„Ich muss meinen Bekanntenkreis informieren."
„Dann bist du die nächsten Tage beschäftigt!"
Seine Frau sah ihn traurig an. „Alle Fotos und Erinnerungen sind weg!"
„Viele Reisebilder haben wir noch auf dem Computer. Und du hast ständig Bilder verschickt. Sicher kursieren noch schöne Fotos im Freundeskreis. – Wie war dein Gespräch mit Herrn Birkenstock?"
„Er meinte, dass ich mir wegen der Prüfung keine Sorgen machen muss."
„Also, eine gute Nachricht! Wir sollten auf das Positive im Leben schauen! Papiere kann man ersetzen und Fotos verschmerzen. „Das Wichtigste ist jetzt, dass wir bald Großeltern werden."

23. Weihnachtstage

Die Kirche war für die Veranstaltung ‚Licht im Dunkel' mit vielen Teelichtern geschmückt. Mitglieder des Kirchenchors, der Frauengemeinschaft, Kollegen und Musikinteressierte füllten den Kirchenraum.
Nach einem Präludium auf der Orgel begleitete Margot ihre Kinder bei dem Terzett: ‚Stimmet Hosianna an'. Die Melodien auf unterschiedlichen Instrumenten von Solo bis Quintett ließen den vorweihnachtlichen Trubel vergessen.
Miriam rezitierte zwischen den Musikstücken eigene Lyrik und Prosa. Am Ende der Veranstaltung las sie ihr Lieblingsgedicht.

Weihnachtslicht

Wunderbar und hoffnungsbringend,
siegend in der Dunkelheit,
Friedenslieder neu erklingend
angesichts von Hass und Streit.

Strahlendhelle Kerzen weisen
auf verstecktes Hoffnungslicht.
Traumgestalten tanzen leise
bei der Kerze Zauberlicht.

Fern hörst du die Glocken läuten,
die verkünden heilige Zeit.
Weißt du noch was sie bedeuten?
Mach dein Herz für ihn bereit!

Öffne weit geschlossene Türen,
bitt das Jesuskind herein.
Lass es deine Liebe spüren
bei der Weihnachtslichter Schein.

Mag das Leuchten dich durchdringen,
das aus Bethlehem geschickt.
Kannst du anderen Segen bringen,
ist das Weihnachtsfest geglückt.

Das letzte Lied: ‚Von guten Mächten wunderbar geborgen' von Dietrich Bonhoeffer wurde von David an der Harfe begleitet und von einigen Besuchern mitgesungen.
Der Stadtpfarrer bedankte sich für die gelungene Veranstaltung. Er betonte, wie wichtig das Licht in dieser dunklen Zeit sei.
Alois machte Fotos auf der Altartreppe. Da keine Presse anwesend war, beschloss Barbara, einen Zeitungsartikel zu schreiben.

Vor der Kirchentür klopfte Klaus David auf die Schulter. „Es war eine wunderbare Einstimmung zur Weihnachtszeit. Die Harfe ist ein göttliches Instrument! Beim ersten

Bach-Präludium hätte man eine Stecknadel fallen hören."
Heidi unterhielt sich mit Alfred und den Mädchen. „Ich bin begeistert, die Fahrt hat sich gelohnt."
Katarina nahm ihre Hand. „Mir hat die Musik gefallen, die Harfe, Trommel und die vielen Kerzen. Ich habe an Mama gedacht und wie es ihr oben im Himmel geht."
„Sie hat die schöne Musik auch gehört", sagte Alfred gerührt.
„Willst du uns mal besuchen, Heidi? Du heißt wie die Heidi von der Alm!"
„Vielleicht kommst du nächste Woche mit uns zum Weihnachtswald?"
„Am Sonntag bin ich verabredet, aber am Samstag wäre es machbar!"
„Prima! Ich hole dich um die Mittagszeit bei Miriam ab."
„Heidi, komm morgens zum Brunch, dann können wir etwas plaudern. Zum Ausflug gehe ich nicht mit, ich muss für die Schule arbeiten."
„Alois und ich schmücken am Samstag die Kirche und richten Päckchen für Bedürftige", sagte Barbara. „Dann fahrt ihr zwei mit den Kindern einmal allein." Sie zwinkerte Miriam zu.
Klaus Polomski sah sich suchend um. „War Tamara nicht im Konzert?"
„Nein! Sie fühlte sich unwohl und ist mit Marco zuhause geblieben."
„Morgen werden ihre hundert Bücher geliefert. Wir

könnten uns zum Kaffeetrinken bei mir treffen."
„Gertrud Lauer und Tochter Simone haben sich angekündigt. Komm einfach zu uns herüber."

Polo brachte den drei Damen ein Exemplar von Tamaras neugedrucktem Werk. Als Titelbild war die Zeichnung vom Bodensee ausgewählt worden. Neugierig blätterten die Frauen darin.
„Vielen Dank!", sagte Gertrud. „Ich werde es zuhause in Ruhe anschauen."
„Die Bücher wurden vorhin geliefert. Sie erhalten sie vor der Künstlerin. Tamara kommt nach der Schwangerschaftsgymnastik vorbei. – Miri, ich habe dir ein philosophisches Buch: *der Prophet von Khalil Gibran* mitgebracht. Der aramäische Dichter, Philosoph und auch Maler ist 1931 verstorben."
„Danke Klaus, pardon Polo! Ich habe von dem Buch gehört, es aber nie gelesen. Möchtest du es wieder zurück?"
„Nein, ich brauche es nicht mehr. Stell es in deine persönliche Bibliothek! Ich habe ein paar Lesezeichen hineingelegt, um mit dir über besondere Stellen zu diskutieren."
„Das mache ich gerne." Sie schlug die erste Stelle auf.

Im Tau kleiner Dinge findet das Herz seinen Morgen und seine Erquickung.

Gertrud sagte nachdenklich: „Ich habe nicht nur fünf Kinder geboren, sondern auch eine Ausbildung als Erzieherin gemacht. Durch die Augen der Kleinen nimmt man Dinge wahr, die Glücksmomente erzeugen können: einen Schmetterling, eine Blumenwiese, einen Luftballon, ein Kuscheltier. – Simone, du hast immer den alten Hasen mit dem abgerissenen Ohr herumgeschleppt. Weißt du es noch?"
„Ja! Ich habe ihn lange aufbewahrt."
„Meine Tochter ist Journalistin und arbeitet als freie Mitarbeiterin unserer Tageszeitung."
„Eine faszinierende Tätigkeit! Ich selbst habe neun Bücher herausgebracht."
„Worüber haben Sie geschrieben?", fragte Gertrud, die in ihrem blauen Strickkleid hübsch aussah.
„Ich habe fünf Gedichtbände, einen Kurzgeschichtenband, einen Kinderroman und zwei Märchenbücher herausgebracht."
Miriam holte seine Werke aus dem Bücherschrank und zeigte sie den Frauen.
Als Tamy und Marco vorfuhren, eilte Polo hinaus und winkte die beiden in sein Haus. Tamara hatte Tränen in den Augen, als sie das frisch gedruckte Exemplar aufklappte. „Die Farben kommen leuchtend heraus." Sie umarmte Klaus. „Vielen Dank für alles."

Bei Miriams Kaffeekränzchen empfing Tamara stürmischer Beifall und ein Glas alkoholfreier Sekt. „Zuerst das

Buchbaby und dann das richtige Baby! Was will man mehr?“, bemerkte Marco.
„Von den zehn Probe-Exemplaren habe ich drei den Damen geschenkt. Die anderen neunzig Bücher könnt ihr mitnehmen. Marco, wenn du Kaffee getrunken hast, laden wir die Bücher gleich ins Auto“, sagte Klaus. „Ich habe zuhause noch Korrekturarbeiten.“
Den geselligen Nachmittag hatte er sehr genossen. Sowohl die 50-jährige biedere Simone als auch ihre 78-jährige energische Mutter wollte er im neuen Jahr zum Künstlertreff einladen.

Barbaras Zeitungsartikel zu ‚Licht im Dunkel' erschien im Heitersheimer Boten. Jogi zeigte ihn Margot: „Ein gelungenes Foto von uns! – Noch der Auftritt am Sonntag im Seniorenheim, dann bereiten wir uns auf Weihnachten vor!“
„Willst du an Heilig Abend wirklich Hartmut Mosbach einladen?“
„Ja! Ich möchte ihn sogar eine Nacht in unserem Gästezimmer unterbringen. Und Elisa will Frau Ulrich aus dem Heim holen. Bei Miriam wird außer Polo ein syrisches Ehepaar mitfeiern. Wir Burgers sind so erzogen, dass man Nächstenliebe praktizieren soll.“
„Kein Problem! Menschen eine Freude zu machen ist dein Lebensziel und dafür liebe ich dich. So sind mir alle willkommen, die ihr einladen wollt.“

Alfred Jung saß mit seinen Töchtern und Heidi Roser im Restaurant des Weihnachtsparks. „Schön, dass du mitgekommen bist."
Kornelia lächelte sie an. „Ich habe gehört, dass du irgendwas mit Schmuck machst."
„Ja, ich bin Goldschmiedin. Ich fertige Ringe, Armbänder und Kettenanhänger aus Edelmetallen an. Ich setze Schmucksteine und Juwelen ein und mache Reparaturen."
„Was braucht man für eine Ausbildung?", fragte Fred.
„Die vierjährige Grundausbildung umfasst den Lehrberuf Goldschmied, Silberschmied und Edelsteinfasser. Da ich die höhere Fachprüfung abgeschlossen habe, bin ich Goldschmiedemeisterin. Meine Arbeit in einem Handwerksbetrieb in Breisach macht mir viel Spaß."
„Über Heidis Beruf haben wir genug geredet. Jetzt will ich zum Weihnachtswald!", forderte Katarina.
„Du hast recht, Katrin. Ich zahle und dann gehen wir. – Heidi, du bist eingeladen, du unterstützt mich bei der Aufsicht der jungen Damen."
„Ich bin keine Dame", sagte Kornelia beleidigt.

Der vordere Teil des Freizeitparks war zu einem Winterparadies umgestaltet. Ein hell beleuchteter Pfad führte durch den künstlichen Weihnachtswald. Märchenfiguren und Tiere bewegten sich beim Vorbeigehen oder

sprachen zu den Besuchern. In einer Halle mit glänzender Weihnachtsdekoration fuhren Nikoläuse mit Schlitten durch eine Schneelandschaft.
Trotz Winterkälte wünschten sich Katarina und Kornelia am Kiosk ein Waffeleis. Heidi und Alfred tranken Kaffee und aßen Berliner. Am Ende der großen Halle befand sich ein Kinderparadies mit Klettergerüsten, Rutschbahnen und vielen Spielmöglichkeiten. Die Mädchen legten Anorak und Schuhe ab und waren verschwunden.
Ihr Vater setzte sich mit Heidi auf eine Bank. Sie winkten den Kleinen zu, wenn sie eine der Rutschbahnen hinuntersausten.
„Papa, Mama!“, rief plötzlich Katrins zartes Stimmchen von oben.
Heidi sah Fred erschreckt an.
„Ich kann meine Tochter verstehen! Sie wollte wieder einmal ‚Mama‘ sagen. Sie fehlt ihr eben sehr.“
Sie liefen danach den Rundweg weiter durch die geschmückte Winterlandschaft. In Glashäuschen bewunderten sie unterschiedliche Krippen. Als dicke Schneeflocken vom Himmel fielen, sagte Heidi: „Jede Schneeflocke ist ein einzigartiger Kristall.“

„Ihr seht richtig glücklich aus!“, bemerkte Miriam, als sie am Nachmittag zurückkamen. „Es gibt eine tolle Nachricht: Barbara und Alois planen nächstes Jahr am 5.5. ihre Hochzeit.“
„Wirst du auch wieder heiraten?“, fragte Kornelia ihren

Vater.
„Vielleicht eines Tages. Doch zuerst heiratet Barbara und ihr dürft Blumen streuen.“

Vor den Weihnachtsferien wurden Arbeiten korrigiert, es gab Konferenzen und Weihnachtsfeiern.
Richard hatte Miriam seit Tamaras Hochzeit nicht mehr gesprochen. Von Sabine erfuhr er immer wieder das Neueste von ihr. Seine Freundin Melissa trainierte regelmäßig im Studio und ging häufig ins Kino oder in die Kneipe. Er bevorzugte gemütliche Abende zuhause. Er diskutierte gern über Politik und Sport, was sie nicht interessierte. Sie unterhielt sich lieber über Mode, neue Anschaffungen und Ereignisse im Freundeskreis. Eine zunehmende Gereiztheit war zwischen den beiden zu spüren.
Als Melissa abends spät nach Hause kam, sagte Richard: „Direktor Rieger bat mich, unser Privatleben aus dem Schulalltag herauszuhalten. Er müsste sonst über eine Versetzung nachdenken. Ich bin zwei Jahrzehnte an der Schule, dann würde es wohl dich treffen.“
„Ich wechsle gern die Stelle, wenn ein anderes Gymnasium meine Fächer benötigt.“
„Jetzt mal nichts überstürzen! Ich werde mit Herrn Rieger sprechen.“
Richard wollte die Beziehung zu Melissa auf keinen Fall aufgeben, obwohl die leidenschaftlichen Liebesstunden selten geworden waren. Oft hatte sie eine Ausrede. Ob

sie einen anderen Verehrer hatte? Er durfte sie nicht mit Eifersucht provozieren. Sie wurde schnell ärgerlich. Vielleicht sollte er einen gemeinsamen Kurzurlaub vorschlagen.
„Wollen wir über Silvester Skifahren?“, fragte er beim Abendessen. „Ich habe in Davos ein gutes Angebot gefunden.“
„Warum nicht?“ Sie schaute überrascht. „In die Schweizer Alpen wollte ich schon lange wieder einmal. Ich bin zwei Jahre nicht gefahren. Doch meine Skiausrüstung mit neuem Ski-Helm ist vollständig.“
„Gut, dann buche ich das Hotel. – Schau, meine Nichte hat einen Gedichtband herausgebracht.“ Melissa sah kurz hinein. „Ganz nett! Lege ihn mir auf den Nachttisch. Ich kann ihn als Bettlektüre verwenden.“

Die adventliche Abendstunde am vierten Adventssonntag im Seniorenheim löste unterschiedliche Reaktionen aus. Beim Klavierstück *Ballade pour Adeline von Richard Clayderman* schluchzte eine Frau im Rollstuhl, einige Zuhörer schlossen die Augen und schienen zu träumen. Tamara las zwischen den Musikstücken eigene Weihnachtstexte. Bei ihrer Erzählung über eine Kinderweihnacht rief Frau Ulrich: „Ja, genauso war es auch bei uns!“

Margot begleitete auf dem Klavier bekannte Weihnachtslieder. „O du fröhliche... Stille Nacht ...Leise rieselt der Schnee...“, sangen die Heimbewohner begeistert. Auch Joachim spielte auf der Gitarre weihnachtliche Melodien.
Tamara signierte fünf verkaufte Exemplare ihres neuen Buches. Eine Ausgabe schenkte sie dem Heim. „Dein erster Verkaufserfolg“, lobte Klaus. „Man darf als unbekannter Autor nicht zu viel erwarten. Ich bin zufrieden, wenn ich bei meinen Büchern die Unkosten herausbekomme.“
„Gut hast du es gemacht!“, lobte Herr Braun seine Tochter.
Miriam schrieb in diesem Jahr einigen Freunden wieder Weihnachtspost nach alter Tradition: stimmungsvolle Weihnachtskarten mit aufgeklebten Briefmarken. Die schnelleren WhatsApp-Wünsche und Sprachnachrichten wollte sie reduzieren.

Miriam probte mit dem Chor für die Christmette in der Stadtkirche und Familie Burger für das Konzert am ersten Weihnachtstag in Freiau. Sabine wollte mit einer Kindergruppe in der Evangelischen Kirche ein Krippenspiel aufführen und Barbara mit Alois in der altkatholischen Kirche Getränke und Gebäck verteilen.
„Das ist ein gelebtes ökumenisches Christentum“, bemerkte Polo, als Miriam über die Pläne der Familienmit-

glieder berichtete. „Wenn nur die christlichen Konfessionen gemeinsam Gottesdienst feiern könnten! Aber das erlebe ich wohl nicht mehr. Das muslimische syrische Paar wird nicht zum Gottesdienst mitkommen?"
„Doch! Hakim und Fatima gehören zur Minderheit der christlichen Syrer und freuen sich auf die gemeinsame Messe."

Spätabends rief Miriam ihren Bruder an. „Hallo Jogi! Ich wünsche dir und der Familie frohe gesegnete Weihnachten! Das erste Fest ohne Mama und Richard habe ich gut überstanden! Es war ein schöner Abend mit Polo, Hakim und Fatima. Sie haben selbstgemachtes Gebäck mitgebracht, das wir nach der Kirche mit Wein genossen haben. – Hat bei euch alles geklappt?"
„Ja, es war ein harmonischer Tag. Ich habe nachmittags in der Kinderkirche Gitarre gespielt und Elisa einige Stücke auf der Querflöte. Abends haben wir zuhause lecker gegessen. Jeder hatte einen Wichtel, der ihm ein Geschenk besorgte. Gerade brachten wir Frau Ulrich ins Heim zurück und fuhren kurz bei Hagens vorbei. Elisa wollte Matthias unbedingt sehen. Herr Moser blieb bei den Jungs. Sie machten mit Bella einen Spaziergang. Er wirkte heute richtig glücklich. Morgen kommt er zum Konzert in die Freiauer Kirche mit. Hast du auch Zeit?"
„Leider nicht. Ich bin in unserer Gemeinde als Lektorin

und auch Kommunionhelferin eingeteilt. Anschließend möchte ich die Schwiegereltern besuchen. Noch schöne Weihnachtstage!“

Lydia und Hans freuten sich, als Miriam nach dem Gottesdienst vorbeikam.
„Warum warst du gestern bei der Weihnachtsfeier nicht da?“, fragte Hans.
„Ich habe bei der Christmette im Chor gesungen und hatte auch Gäste zuhause.“
„Liebling! Richard hat uns mit seiner Freundin Melissa besucht.“
„Die Frau mit dem engen roten Kleid, die war nicht von schlechten Eltern!“
„Hans, hör auf mit dem dummen Geschwätz!“
„Ich bin nicht dumm, auch wenn ich manchmal Dinge vergesse.“
Miriam streichelte seine Hand. „Das hat Lydia nicht so gemeint. Wie hat es dir an Heiligabend gefallen?“
„Es gab Schäufele und Kartoffelsalat. Dann waren wir in der Kirche. Sabine hat ein Krippenspiel gemacht. Sie ist eine gute Schauspielerin!“
„Nun lass mich etwas mit Miriam reden. Bernd wird uns gleich zum Mittagessen abholen.“
„Kommst du mit, Miri?“
„Nein, ich habe anderes geplant.“

Nachmittags saß Barbara in Miriams weihnachtlich geschmücktem Wohnzimmer und erzählte: „Alois feiert heute mit seinen Eltern und Verwandten. Gestern waren außer Mama noch Alfred und die Mädchen eingeladen. Ich besorgte Geschenke zu ihrem Lieblingsfilm ‚die Eiskönigin'. Die Puppen Elsa und Anna hatten sie schon. Ich fand noch ein Holzdomino und ein Mäppchen mit den Hauptfiguren darauf. – Im Gottesdienst sangen wir das Weihnachtsoratorium von Johann Sebastian Bach. Wir verteilten beim Ausgang Glühwein, Kinderpunsch und Weihnachtsgebäck. – Morgen kommt Max. Ich bin so aufgeregt! Du wirst den jungen Mann kaum wiedererkennen."
Miriam hörte der Freundin aufmerksam zu und freute sich, dass sie glücklich war.

Richard und Melissa fuhren am zweiten Weihnachtstag nach Davos und verbrachten eine fröhliche Zeit beim Skifahren und Après-Ski. In ihrem Alpenhotel entspannten sie im Wellnessbereich und genossen das Abendmenü bei einem Gläschen Wein. Wenn Tanzmusik angeboten wurde, vergnügten sie sich bis zum Morgen. Richard wäre lieber früher schlafen gegangen, doch er wollte Melissa jeden Wunsch erfüllen.
Zur Dinner-Party an Silvester trug sie ein bodenlanges

schwarzes Abendkleid mit edlem Schmuck. Ihr schwarzes Haar hatte sie mit goldenen Spangen zurückgesteckt. Zwischen den Gängen des üppigen Abendbuffets animierte eine Band zu schwungvollen Tänzen. Um Mitternacht prosteten sich alle mit ihren Sektgläsern zu. Gegen zwei Uhr flüsterte Richard Melissa ins Ohr: „Wollen wir im Zimmer noch weiterfeiern, bevor wir zu müde sind?"
Sie nickte kichernd. Er umfasste ihre Taille, zog sie an sich und sie liefen eng umschlungen zum Aufzug.

Beim späten Frühstück erzählte Richard vom Seniorenheim Birkenwald. „Meine Eltern haben grünes Licht bekommen und wir planen in zwei Wochen den Umzug. Am besten hältst du dich aus der Sache heraus."
„Wahrscheinlich hast du lieber deine Ex dabei, die öfters im Heim ein und ausgeht."
„Miri ist sehr hilfsbereit und hängt an meinen Eltern. Sei froh, wenn du nicht eingespannt wirst."

24. Veränderungen

Zwei Tage vor Schulbeginn kam ein Anruf vom Schulamt.

„Frau Melissa Schiller? – Hier spricht Frau Förster. Ich möchte Ihnen mitteilen, dass Ihre Versetzung zum zweiten Schulhalbjahr ans Gymnasium in Großhausen beschlossen ist. In Ihrem Kollegium gibt es Lehrerüberschuss und eine Überbesetzung an Mathelehrern. Ihre Fächer werden in Großhausen benötigt. Die Entfernung von fünfzehn Kilometern zum Wohnort ist zumutbar. Bei gutem Wetter können Sie mit dem Fahrrad fahren und etwas für die Gesundheit tun." Sie lachte ins Telefon. „Wir schicken die Versetzungsverfügung nächste Woche zu und Direktor Rieger wird Genaueres mit Ihnen besprechen. – Sind Sie sehr überrascht, Frau Schiller?"

Melissa hatte es tatsächlich die Sprache verschlagen. „Es kommt etwas plötzlich. Unser Direktor hatte einen Stellenwechsel im Sommer angedeutet, da zwei Kolleginnen bald aus dem Schwangerschaftsurlaub zurückkämen."

„Nun, Frau Zimmer wird schon im Februar ihr Deputat wiederaufnehmen. Lassen Sie das Ganze erst einmal auf sich wirken! Jeder Schulwechsel bringt neue Eindrücke und Chancen. Ich wünsche Ihnen zunächst ein schönes Wochenende!"

Richard schaute im Arbeitszimmer mit Kopfhörern einen englischen Film. Erst nach einer Weile bemerkte er Melissa, die schweigend an der Tür stand und vor sich hinstarrte.
„Ist was los?“, fragte er, indem er kurz die Kopfhörer abnahm.
„Frau Förster vom Schulamt hat eben angerufen. Sie wollen mich zum Schulhalbjahr ans Gymnasium in Großhausen versetzen.“
„Was?“, rief Richard entgeistert. „Das ist unmöglich! Ich schaue eine Viertelstunde den Film fertig, dann reden wir darüber!“
Melissa rief ihre Mutter an und schüttete ihr das Herz aus.
„Lehrer können sich nicht gegen eine Versetzung wehren. Dein Vater wurde zweimal versetzt. Deshalb sind wir hier in den Süden gezogen.“
„Ich bin mit dem Auto in einer Viertelstunde an der neuen Schule. Vielleicht ist es gut, Abstand zum Arbeitsplatz zu haben. Ein paar unschöne Szenen mit Richard könnten die Ursache sein, warum Direktor Rieger mich loshaben will.“
„Ihr beiden passt nicht zusammen und er ist auch noch verheiratet. Du sagtest neulich, dass er oft ungepflegt wirkt und zuhause ständig im Jogginganzug rumsitzt. Schau dich nach einem jüngeren ledigen Mann um, der mehr Wert auf sein Äußeres legt.“

Da Richard sich nach über dreißig Minuten nicht rührte, verabredete Melissa sich mit einer Freundin und verließ in Windeseile das Haus.
Zwei Stunden später wurde sie mit Vorwürfen empfangen: „Du hättest sagen müssen, dass du weggehst! Am Handy warst du nicht erreichbar. Ich habe mir Sorgen gemacht. – Und gekocht ist auch nichts!"
„Ich habe mit Maria beim Italiener gegessen. Du kannst dir ja eine Kleinigkeit zubereiten. Selbst ist der Mann!"
„Was soll dieser Unsinn? Beleidigt sein, weil ich die Zeit etwas vergessen habe. Du wirst auch immer zickiger!"
„Wenn es dir nicht passt, kannst du gern ausziehen!" Melissa staunte über ihre eigenen Worte. Sie hatte einen liebevollen Freund, der ihr Geborgenheit gab und dessen Bewunderung sie genoss. Doch sie bezweifelte, ob sie ihn so liebte wie er sie. Schmollend verzog sie sich ins Wohnzimmer.
Wie ein Lauffeuer sprach sich herum, dass Melissa Schiller im neuen Halbjahr von Heitersheim nach Großhausen versetzt würde. Am ersten Schultag zitierte Direktor Rieger sie zu sich und sie unterschrieb den Versetzungsvertrag.

Der Umzugstag von Lydia und Hans Schuhmann war gekommen.
Miriam holte mit Sabine die Schwiegereltern ab, die ratlos zwischen den Umzugskisten saßen. Bernd und Sven

halfen die letzten Möbel und Habseligkeiten in den Sprinter zu tragen, der von Richard gefahren wurde. Bereitwillig stiegen Lydia und Hans in Miriams Auto.
„So einen Aufwand, wie du mit deinem Elternhaus gemacht hast, gibt es bei uns nicht“, bemerkte Sabine. „Ihr müsst auch nur eine Wohnung räumen!“
Lydia sagte: „Das letzte Hemd hat keine Taschen! Mir reichen meine Lieblingsmöbel, Kleider und einige Bücher. Wir haben vor drei Jahren schon eine Menge aussortiert.“
Hans hielt die Hand seiner Frau ganz fest. „Für mich sind Radio und Fernseher sehr wichtig.“
Eine Betreuerin brachte Schuhmanns gleich zu ihrer Tischgruppe zum Mittagessen. Wollen Sie einen Kaffee trinken?“, fragte sie die Angehörigen.
„Vielleicht später. Wir müssen das Auto ausladen und der Möbelwagen wird auch bald da sein.“
Gemeinsam trugen sie alles aus dem Auto und dem Sprinter. Die Betten und ein Sofa übernahmen sie vom Heim. Die anderen kleineren Möbel waren bald aufgebaut.
Nach dem Essen kamen die Eltern zurück. Hans lief verwirrt zwischen den Gepäckstücken umher. Eine Schwester nahm ihn am Arm und führte ihn zum Aufenthaltsraum, wo einige Leute Fernsehen schauten.
Herr Schuhmann setzte sich in einen Sessel und fragte: „Ist das ein Krimi?“
„Nein, ein Film über eine Tierärztin“, antwortete eine

ältere Dame.
„Die anderen Leute können wohl nicht reden oder sind schwerhörig! – Wann kommt meine Frau?“, fragte er mehrmals eine mollige Pflegerin. „Wir wollen zusammen hier wohnen.“
„Ich weiß“, sagte sie mit sanfter Stimme.
„Die beiden Zimmer wirken mit den Möbeln und den teils eingeräumten Schränken ganz gemütlich“, meinte Lydia. „Diese Kiste enthält Persönliches wie Kosmetikartikel, Schmuck, Bilder, Briefe und Andenken. Die will ich alleine auspacken. Ihr könnt jetzt gern zurückfahren. Ich danke für eure Hilfe.“
Sabine und Richard brachten die Mutter zum Aufenthaltsraum.
„Da bist du ja, Liebling!“ Hans küsste seine Frau auf die Wange.
„Ihre Eltern werden sich hier wohlfühlen. Machen Sie in der ersten Woche keinen Besuch. Warten Sie den Anruf Ihrer Mutter ab. Sie wird sich melden, wenn sie mit Ihnen sprechen will.“
Der Umzug ins Seniorenheim Birkenwald war in wenigen Stunden über die Bühne gegangen.

Drei Tage später rief Lydia an und erzählte begeistert, was sich im Heim abspielte.
„Hans läuft gern mit mir im Park spazieren und versucht sich mit allen Leuten zu unterhalten. Manchmal erzählt er von seiner Arbeit als Schreiner. Stell dir vor, ein Herr

Römer auf unserem Stockwerk hatte den gleichen Beruf und ab und zu fachsimpeln sie. Heute Morgen wollte Hans arbeiten gehen. Ich wachte auf, als er angezogen an der Tür stand und sich verabschiedete. Er müsste noch einen Tisch fertigstellen."
„Ach je, wie hast du reagiert?"
„Ich habe zu einer Notlüge gegriffen. Ich sagte, dass heute Sonntag sei und wir erst mal in Ruhe frühstücken. Dann hat er es wieder vergessen."
„Gut, dass ihr den Heimplatz bekommen habt. Konntest du etwas unternehmen, als er in Betreuung war?"
„Ja, ich war mit einer Gruppe im Stadtmuseum. Aber Hans kann jederzeit zu den Veranstaltungen mitgehen, wenn er will. Morgen machen wir einen Ausflug zu einem Wald-Café."
„Es freut mich, dass du dich wohlfühlst. – Habt ihr eure Sachen gut untergebracht?"
„Alles ist eingeräumt. Ich bin froh, dass ich nicht mehr so viel Kram habe. Es gibt hier auch eine Bücherei."
„Wenn du etwas vermisst, sag es rechtzeitig! Nächste Woche wollen wir die Wohnung räumen. Tamara und Marco möchten so schnell wie möglich das Kinderzimmer einrichten."
„Schön, dass sie unsere Wohnung übernehmen! – Ach, das Nähkästchen im Flurregal und die beiden Blumenbilder aus der Küche könntest du noch bringen."
„Okay, Mama. Grüße Papa herzlich."

Tamara schaute in der Wohnung der Großeltern Bücherregale und Schränke mit Platten und CDs durch. Daniel kannte sich mit Ankaufverlagen wie momox und rebuy aus. Die gaben für bestimmte Medien manchmal einige Cent oder Euro. Sie würde ihn fragen, ob er Zeit hätte.
Am nächsten Tag erschien Daniel mit seinem Laptop und tippte mit Tamaras Hilfe unzählige ISBN-Nummern ein. „Bei momox erhalten wir für 54 Bücher 25 Euro und rebuy bietet für 30 ausgewählte CDs 15 Euro!“, erklärte er nach einer Stunde. „Ab zehn Euro Einkaufswert ist das Porto frei. Wir können Adress-Aufkleber ausdrucken und die Pakete zuhause abholen lassen.“
Sabine war hinzugekommen und blickte interessiert auf den Stapel mit Büchern und CDs. „Den Erlös könnt ihr natürlich behalten. Restliche Bücher und CDs bringe ich in die Stadtbibliothek, zum Bücherschrank und ins Heim.“ Sie legte das Nähkästchen und die beiden Blumenbilder in einen Waschkorb. Ihr Handy klingelte. „Ich bin gerade in der Wohnung. Wir werden nachsehen und dir Bescheid geben.“
„War es Oma?“, fragte Tamara.
„Ja! Hans möchte noch vier Bücher haben: die griechischen Sagen, das Gesamtwerk des Satirikers Ephraim Kishon, die rote Bibel und das alte Märchenbuch, aus dem sie uns früher vorgelesen haben.“
„Glaubst du, dass Opa noch eine Kurzgeschichte von Kishon lesen wird oder eine griechische Sage?“

„Vielleicht will er die Bücher nur in der Hand halten oder im Regal sehen“, sagte Daniel. „Dann schauen wir mal! Griechische Sagen..., hier sind sie bei den Büchern ohne ISBN-Nummer. Die rote Bibel liegt in der Kiste, die ich für David gerichtet habe.“
Sabine fand die anderen Bücher und legte sie zu den Sachen in den Waschkorb.

Einige Tage später fuhr Tamara mit ihrer Mutter und Miriam ins Seniorenheim.
Hans kam mit Lydia von einer Gesangsstunde und trällerte vor sich hin. „Jetzt gang i an Peters Brünnele und da trink i an Wein...“
„Ihre Eltern haben sich gut eingelebt“, berichtete Frau Maurer. „Ihr Vater ist in einer Demenzgruppe, wo musiziert wird. Das kann Erinnerungen fördern. Er zaubert auch moderne Kunst aufs Papier.“
Hans nickte. „Ist Richard noch im Auto? Ich will ihm etwas erzählen.“
„Heute kommt er nicht mehr, er muss arbeiten.“
Tamara umarmte ihren Opa. „Charlotte, wo sind deine roten Locken?“
„Opa, ich bin deine Enkelin Tamara und das ist deine Tochter Sabine.“
„Das weiß ich doch. Habt ihr meine rote Bibel mitgebracht?“
„Ja und auch die anderen gewünschten Bücher.“
Lydia sagte leise zu Miriam: „Manchmal wirkt er nicht

dement, ein anderes Mal schaut er mich an wie eine Fremde. Es ist ein Auf und Ab und wird sicher nicht besser werden."

Beim Spaziergang in der Seniorenanlage entdeckten sie Barbara mit ihrer Mutter.
„Ach, ihr seid heute auch da! Mama ist mit Lydia in einer Spielgruppe und mit Hans in einem Malkurs."
„Früher war Bildende Kunst sein Hobby, aber er hat es nach der Schreinerausbildung aufgegeben," erklärte Sabine.
Tamara zupfte sich am Ohr. „Vielleicht haben wir das Zeichen- und Maltalent von ihm geerbt."
Barbara schwärmte von ihrem Sohn Max. „Auf Jogis Bauernhof ist er mit dem neuen Traktor gefahren. Und mit Alois hat er sich blendend verstanden. Er freut sich auf unsere Heirat im Mai."
„Dann werde ich ihn an deiner Hochzeit wiedersehen", sagte ihre Mutter. Sie hatte ihr erwachsenes Enkelkind in den Weihnachtstagen wieder fest ins Herz geschlossen.
Der Ausflug nach Birkenwald hatte Tamara erschöpft. Marco musizierte heute bei einer Geburtstagsfeier und würde spät heimkommen.
Carmen kümmerte sich liebevoll um ihre Schwiegertochter. Sie kochte ihr Pfefferminztee und richtete ein Abendbrot. „In zwei Monaten hast du alles geschafft.

Besuche wieder einmal Burgers in Freiau. Das wird dir guttun."

„Schön, dass du da bist!", sagte Margot am nächsten Tag und legte Tamara ein Stück selbstgebackenen Apfelstreusel auf den Teller. „Willst du lieber Tee? Ein bis zwei Tassen Kaffee am Tag darf man in der Schwangerschaft trinken."

„Trotzdem lieber einen grünen Tee. – Daniel, was macht deine Ausbildung? Wir haben beim Büchersortieren nicht darüber gesprochen."

„Die Prüfung zum Landschaftsgärtner kommt bald. Danach werde ich Papa auf dem Hof helfen und mich später um eine Stelle kümmern." Er sah auf sein Handy. „Astrid fragt, ob wir uns im Großhausener Park beim Springbrunnen treffen können. Ich radle los. Tschüs zusammen!"

Elisa kam aus der Schule und wärmte sich das Mittagessen auf. Dann machte sie mit Tamara und Bella einen kleinen Spaziergang. „Das Laufen wird beschwerlicher."

„Wenn du ein süßes Baby im Arm hältst, ist aller Kummer vergessen. Ich wünsche mir mehrere Kinder. Mit Matthias könnte ich es mir vorstellen."

Als sie zu Burgers Anwesen zurückkehrten, saß Margot mit den Jungs am Küchentisch. „Daniel, schon wieder da? Ihr schaut so ernst."

„Astrid hat sich im Skiurlaub verliebt und eben von Daniel getrennt!", sagte sein Zwillingsbruder.

„Das tut mir leid für dich! Aber die Modepuppe Aschdrid hat nicht zu dir gepasst."

Nach der letzten Unterrichtsstunde fuhr Miriam direkt zu Familie Braun. Ihre Schwägerin hatte heute mit 51 Jahren ihre Kunstprüfung abgelegt.
Bernd bat sie herein. „Sabine wird gleich da sein. Ich habe einen Fischauflauf im Ofen, du kannst gern mitessen."
Wenige Minuten später stand Sabine freudestrahlend vor ihr. „Gott sei Dank, es ist vorbei! Ich habe nach fünf Jahren Studium das Diplom mit der Gesamtnote 2,0 abgeschlossen."
Tamara erschien mit einem Blumenstrauß. „Mama, ich bin stolz auf dich, dass du dieses Studium in deinem Alter geschafft hast."
„Es kann nicht jeder eine Eins bekommen wie du." Sie lachte. „Frau Brunner geht nächstes Jahr in Rente und will zu ihrer Tochter nach Hamburg ziehen. Dann werde ich ihre Wohnung als Atelier einrichten. Könnte ich vorläufig dein Zimmer zum Malen benutzen, bis ich die Wohnung aufgeräumt habe?"
„Das kann Jahre dauern!", sagte Bernd grinsend.
„Lass uns erstmal umziehen und warten, bis das Baby da ist. Wir brauchen in der Dreizimmerwohnung zum Glück kaum renovieren. Wir richten das frühere Arbeitszimmer als Kinderzimmer her."

Sie strichen die Wände hellgelb und brachten im Schlafeck eine fröhliche Tiertapete an. Drei Wochen später fand die Einweihungsparty statt.

Anfang Februar wechselte Melissa ans Hebelgymnasium in Großhausen.
Miriam traf sich mit ihrer Schwägerin im Stadtcafé. „Kommt Richard mit ihrer Versetzung klar?"
„Melissa scheint sich an der neuen Schule wohlzufühlen. Mein Bruder ist etwas eifersüchtig, weil sie gerne flirtet. Wenn sie hier sind, streiten sie jetzt öfters."
Miriam nahm die Nachricht wohlwollend auf. Auch sie und Richard fanden immer genug Streitpunkte. – Julian hatte inzwischen Nägel mit Köpfen gemacht. Er war mit Lea, der Frau aus dem Nachbarort, zusammengezogen. „Wir haben viele Gemeinsamkeiten wie Radfahren und Tanzen. Sie versteht sich auch gut mit meinen Söhnen. Aber unsere Urlaubsliebe war etwas Besonderes, Miri." Er mochte recht haben. Sie hatte sich mit ihm glücklich und unbeschwert gefühlt. – Sabines Worte rissen sie aus den Gedanken. Sie berichtete von einem Jobangebot nach den Pfingstferien an der Volkshochschule: Sie gab eine Einführung in unterschiedliche Maltechniken. Tamaras Mädchenzimmer wollte sie vorläufig als Malstudio benutzen. „Ein Kinderzimmer wäre sinnvoller gewesen! Denn bald wirst du einen Enkel haben."

Als Miriam das Auto vor der Garage parkte, fegte Klaus den Gehweg. „Komm doch mit Katrin und Kornelia am Samstagnachmittag in den Pfarrsaal. Ich biete eine Märchenstunde für Kinder ab fünf Jahren an."
Polo nahm in einem gemütlichen Lesesessel Platz und das lebhafte Geplapper der Kinder verstummte.
Mit tiefer geheimnisvoller Stimme begann er zu lesen:

Im Winterwald

Als der Prinz des Landes sich einmal im Winterwald verirrte und immer tiefer und tiefer in die Wildnis geriet, kam er an ein Häuschen, das war ganz aus Schnee und Eis. Die Eiszapfen hingen bis zur Erde herab. Er konnte nirgends einen Eingang finden.
Als er einen Eiszapfen wegbrach, stand er vor einer silbernen Tür. Er öffnete sie und sah auf einem Lager aus weißen Schneeflocken eine schlafende Prinzessin. Sie war blass und kalt. Der Prinz nahm sie auf seine Arme und trug sie hinaus in die blitzende Wintersonne. Er zog seinen Mantel aus und legte ihn schützend und warm über die Schlafende. Die Prinzessin schlug die Augen auf und blickte verwundert um sich.
Der Prinz redete ihr freundlich zu und sie erzählte ihm, eine böse Hexe hätte sie in diese Hütte verzaubert. Sie habe hundert Jahre geschlafen, nun aber sei sie erlöst. Der Königssohn hob die Prinzessin auf sein Ross und ritt

mit ihr durch den klingenden Winterwald zu seines Vaters Schloss. Dort wurde die Hochzeit gefeiert mit aller Pracht und Herrlichkeit.

Die Kinder durften Fragen stellen. Kornelia meldete sich: „Hast du einige Märchen miteinander vermischt?“
„Was ist dir denn aufgefallen?“, fragte Klaus schmunzelnd.
„Das Häuschen hat mich an Hänsel und Gretel erinnert, die hundert Jahre Schlaf an Dornröschen und die blasse Prinzessin auf dem Lager an Schneewittchen.“
„Gut aufgepasst!“, sagte Miriam spontan in ihrer Lehrerrolle.
Nach der Lesung von drei weiteren Märchen bekamen die Kinder Bilder zum Ausmalen.
Gemeindereferentin Elke Frietsch bedankte sich im Namen der Pfarrgemeinde und überreichte ihm ein Weinpräsent.
„Mir machte die Veranstaltung mit den Kindern großen Spaß. Für die Bücherei schenke ich Ihnen meinen Roman *Frost in der Frühlingsnacht*.“
Klaus verkaufte fünf Märchenbücher und drei Exemplare des Märchenspiels *Die verzauberte Flöte*.

25. Faschingszeit

Als Bernd am Montagabend aus der Praxis kam, wedelte er mit zwei Karten vor Sabines Nase herum. „Damit du dich nicht ständig beklagst, dass wir nichts zusammen unternehmen!“

„Tanzveranstaltung in der Festhalle Großhausen am Rosenmontag, den 28.2.“, las Sabine. Erfreut umarmte sie Bernd. Dabei stieß sie den Ellbogen an die gläserne Tischkante und schrie laut auf, als sie einen stechenden Schmerz verspürte.

„Du brauchst vor Freude kein Indianergeheul anzustimmen! Ich weiß, der Ellbogen ist heimtückisch, aber der Schmerz lässt gleich nach.“

„Und wenn du wieder zu einem Notfall gerufen wirst?“

„Am Rosenmontag und das Wochenende davor habe ich frei. Wir können mit deinen Eltern und Tamara zum Faschingsumzug gehen.“

„Und wenn das Baby früher kommt! Sie sollte lieber zuhause bleiben.“

„Mach dir keine Sorgen! Zum Krankenhaus sind es nur fünf Minuten.“

Das Fastnachtswochenende war gekommen. Samstagabend bei einer Karneval-Sitzung im Fernsehen brachen Bernd und Sabine immer wieder in schallendes Gelächter aus.

Zum großen Faschingsumzug am Sonntag erschienen

außer Brauns und Schuhmanns auch die Burger-Kinder. Elisa mit einer Zopfperücke und Bollenhut hatte sich bei Matthias eingehängt.
Tamara und Marco standen etwas von der Menschenmenge entfernt. Lydia und Hans mit bunten Hüten verfolgten mit Tochter und Schwiegersohn den närrischen Trubel.
Joachim und Margot waren mit Bella zuhause geblieben. Sie luden anschließend zu einem Imbiss in ihr Landhaus ein.
Nach und nach kamen die Umzugsbesucher in Freiau an. Der Hauseingang war mit bunten Papiergirlanden geschmückt. Margot empfing sie in einem geblümten Kleid und roter Perücke. Joachim trug eine blaukarierte Gartenschürze und um seinen Dutt kringelten sich Fastnachtsbändel. „Herein in die warme Stube!"
Tamara legte sich auf das Sofa. Marco sah sie besorgt an. Sie lachte fröhlich, als sie seine kalte Hand auf ihrem Kopf spürte. „Alles bestens!"
Aufgewärmt und mit Kinderpunsch gestärkt verzehrten sie die gerichteten Häppchen und Kuchenstücke.
„Lydia und Hans, ihr habt meinen neuen Traktor noch nicht gesehen. Kommt ihr mit in die Scheune?"
Auch die anderen begleiteten ihn zum Hof. „Mein alter Lanz-Bulldock hatte ausgedient. Diesen gebrauchten Ackerschlepper von Allgaier habe ich für 7000 Euro gekauft. Ist er nicht sein Geld wert?"
„Doch, du hast einen Teil des Erbes gut angelegt!",

meinte Miriam. „Und Barbaras Sohn Max ist auch schon damit gefahren.“
Lydia und Hans hatten das Abendessen im Heim abbestellt. Sie genossen den Kassler-Braten mit Sauerkraut und Kartoffelbrei.
„Besser als bei uns zuhause! Gestern hat Lydia auch gutes Gulasch gekocht!“
Alle wussten, dass die beiden regelmäßig am Heimessen teilnahmen.
„Oma, ich bin froh, wenn ich meinen dicken Bauch endlich los bin!“
„Immer wieder ausruhen! Ein Kind zu bekommen ist keine Krankheit.“
„Den Satz höre ich öfters. Aber ein Zuckerschlecken ist es auch nicht.“
„Man vergisst den Schmerz bald, wenn man ein gesundes Baby im Arm hält. – Wann können wir eure Wohnung anschauen?“
„Nachher, bevor ich euch nach Birkenwald bringe“, bot Bernd an.

Als sie ihre frühere Wohnung betraten, war Lydia begeistert. „Das Kinderzimmer ist ganz reizend geworden. – Hans, hier haben wir vor einigen Wochen noch gewohnt.“
„Das Haus und der Flur kommen mir bekannt vor. Doch das ist nicht unsere Wohnung!“ Er fühlte sich unwohl

und klammerte sich an Lydias Hand.
„Dann bringe ich euch mal in euer neues Heim zurück."

Miriam, Babsy und Alois hatten auch Karten für den Rosenmontagsball besorgt.
Sabine drehte sich in einem ärmellosen bodenlangen Kleid mit schwarzer Jacke vor dem Spiegel. Sie war stark geschminkt.
„Gut siehst du aus, mein Schatz!" Bernd trug eine rotgestreifte Latzhose mit rotem T-Shirt und eine blonde Perücke. „Dann wollen wir mal Miri abholen."
Miriams lockiges Haar war mit weißen Spangen geschmückt. Glitter glänzten auf Stirn und Wangen. Das schwarz-weiße Minikleid mit weißer Leggins unterstrich ihre schlanke Figur. „Hoffentlich finde ich einen Tänzer! Meist sind Frauen in der Überzahl und Männer sind tanzfaul."
„Schwägerin, so wie du aussiehst, liegen dir die Herren zu Füßen."
An der Garderobe trafen sie Barbara und Alois, die sich als Piraten verkleidet hatten. Barbaras blondes Haar blitzte unter einem schwarzen Hut hervor. Die leicht ergrauten Haare ihres Freundes waren mit schwarzem Glanzspray aufgepeppt.
In dem mit Discokugeln erleuchteten Saal heizte eine sechsköpfige Band den Besuchern ein.

Kaum hatten sie ihre reservierten Plätze eingenommen, wurde Miriam von einem blonden Cowboy aufgefordert. Sie schwebten durch die freien Lücken der Tanzfläche. Soweit es bei der Lautstärke möglich war, warfen sie sich Gesprächsbrocken zu und tauschten ihre Namen aus.
Tom brachte sie in der Pause mit höflicher Verbeugung zurück. Beim nächsten Tanz war er wieder zur Stelle. Da Miriam ihn sympathisch fand, schaute sie sich nicht nach weiteren Tanzpartnern um, sondern lud Tom an ihren Tisch ein.
„Meine Damen und Herren!“, tönte es aus dem Lautsprecher. „Das Juniorballett unseres Turnvereins wird sie jetzt mit flotten Tänzen unterhalten.“

Melissa brauchte lange, um sich als sexy Kätzchen herauszuputzen. Erst nach 21 Uhr betrat sie mit Tierbändiger Richard die Stadthalle. Kurz darauf tanzten sie engumschlungen in der Nähe ihres Platzes, denn die Tanzfläche war überfüllt.
Richard hörte ein fröhliches Lachen, das ihn an Miriam erinnerte. Er sah eine Frau mit schwarz-weiß gestreiftem Kleid und einen großen Mann mit Cowboyhut im Trubel verschwinden. War es Miriam? Ob sie einen festen Freund hatte? Er entschuldigte sich und lief zur Toilette.
Das Lied ‚Ein Stern, der deinen Namen trägt‘ lockte viele Narren auf die Tanzfläche. Auch Melissa saß nicht mehr

auf ihrem Platz, sondern wurde von einem Elvis Presley herumgewirbelt. Richard spürte Eifersucht.
Als seine Freundin erhitzt zurückkehrte, gab sie Richard einen Kuss. „Der hat mich ganz schön aus der Puste gebracht!"
„Wenn es dir Spaß macht, ist ja gut. An Fastnacht kann man alles lockerer sehen!"
„Das wäre mir sonst auch lieber!"
„Meine Damen und Herren!", schallte es wieder aus dem Lautsprecher. „Wir dürfen uns nun auf eine Vorführung des Männerballetts freuen."

Anschließend wurde zu einer Polonaise aufgefordert und ein bunter Narrenwurm zog durch die große Halle. Richards Herz schlug bis zum Hals. Es war tatsächlich Miriam! Zweimal lief sie in seiner Nähe vorbei. Er hatte sich weggedreht und sie ihn wohl nicht gesehen.
Tom forderte Miriam zum anschließenden Walzer auf. Dieser sympathische Mann schien sie offensichtlich zu umwerben.
„Ach, deine Ex ist auch da! Sie scheint sich gut zu amüsieren." Melissa schnurrte ihrem Kostüm entsprechend wie ein Kätzchen. „Hat sich ganz schön rausgeputzt!"
„Sei ruhig! Sie ist immer noch meine Frau."
„Für die du dich schon länger nicht mehr interessierst."
Miriam entdeckte die beiden. Sie sagte etwas zu ihrem Partner und sie verließen die Tanzfläche.

Plötzlich stand Richard vor ihrem Tisch und forderte sie zum Tanzen auf.
„Diese Runde ist versprochen, über die nächste können wir reden."
„Ihr kennt euch?"
„Mein Ehemann, der mit seiner neuen Flamme da ist."
Sie folgte Tom auf die Tanzfläche.
„Der scheint noch Interesse an dir zu haben."
„Du siehst reizend aus!", sagte Richard beim gemeinsamen Foxtrott. „Wie geht es dir so? Ist das dein neuer Freund?"
„Wir werden sehen. – Bist du glücklich, Richard?"
„Im Großen und Ganzen. Es gibt keinen idealen Partner. Man selbst ist es ja auch nicht."
„Oh, hast du etwas Einsicht gewonnen?" Sie merkte, wie alter Groll in ihr aufstieg. „Diesen Tanz noch, dann geh bitte zu deiner Freundin zurück."
Wenn Richard ehrlich war, hatte er noch Gefühle für Miriam. Er wollte sie ungern an einen anderen verlieren. Aus den Augenwinkeln sah er, dass Melissa wieder aufgefordert wurde.

„Mutig von deinem Mann, an unserem Tisch aufzukreuzen!", bemerkte Bernd, als sie zurückkam.
Tom zahlte und verabschiedete sich plötzlich. Kurz darauf tanzte er mit einer kleinen Chinesin vorbei.
„Nimm es nicht persönlich, so sind eben die Männer! Die Situation war ihm zu brenzlig", sagte Alois. „Darf ich

bitten?“
Babsy nahm kurz darauf Bernd ins Schlepptau. Als Damenwahl angesagt wurde, folgte ein Mann am Nachbartisch Sabine auf die Tanzfläche. Nun grölten alle laut „La Bostella“ und brachten mit Trampeln und Händeklatschen ihre Freude zum Ausdruck. Obwohl das Tanzen mit Alois gut klappte und sie noch zwei weitere Narren aufforderten, hatte Miriam ihre gute Laune verloren. Wenn Richard oder Tom in ihrer Nähe vorbeitanzten, fühlte sie sich wie in einem schlechten Film.

Nachts wälzte sie sich im Bett. Im Licht des Weckers beobachtete sie die fortschreitende Zeit: Zwei Uhr, drei Uhr, vier Uhr! Hätte sie sich auf Julian und seine Söhne einlassen sollen? Wie wäre es mit Tom weitergegangen? Hätten sie sich wieder getroffen? „Hätte, hätte, Fahrradkette…“, sagten die Schüler untereinander.
Sie versuchte sich auf ihre Atemübungen zu konzentrieren. Vielleicht würden sie helfen.

26 Lebenswünsche

Tamara hatte sich in der neuen Wohnung gut eingelebt und alles für das Baby vorbereitet.
Abends las sie ihrem Mann ein neues Reim-Gedicht vor.

Luftballons

Jeden Morgen beginnt ein neues Leben,
tausend Eindrücke stürmen auf mich ein.
Auf einem Regenbogen will ich schweben,
einige Augenblicke nur glücklich sein.

Gute Wünsche in den Himmel schicken
wie Luftballons, leicht und sorgenfrei,
in eine fröhliche Zukunft blicken,
von einer heilen Welt träumen dabei.

Meinen Lebensweg will ich gehen,
der mich führt durch die stürmische Zeit,
die Farben der Blumenwiesen sehen,
neu für die Wunder des Lebens bereit.

Ich möchte tanzen, mich täglich freuen
und bunte Bälle werfen in die Luft.
Blütenblätter auf andere streuen,
versprühen einen zauberhaften Duft.

Marco legte den Arm um sie. „Meine Künstlerin! In wenigen Tagen sind wir eine kleine Familie, für die ich immer sorgen werde."
Sie sah ihn an und spürte, dass er der Richtige war.

Gegen die Bedenken ihres Vaters entschied sich Tamara für eine Wassergeburt.
„Ich habe einen Bericht darüber gelesen und eine Geburt im Fernsehen gesehen. Es werden dabei weniger Schmerzmittel benötigt. Dammrisse sind seltener und es gibt geringere Blutungen."
„Ehrlich gesagt habe ich wenige Wassergeburten erlebt."
Zwei Tage nach dem errechneten Geburtstermin erblickte Felix Eduardo das Licht der Welt. Er schrie aus Leibeskräften, als er mit sanftem Schwung aus dem warmen Wasser geholt wurde. Alles lief zur Zufriedenheit der Ärzte ab.
„Toll haben Sie das gemacht, Frau Braun-Walter!" Die Hebamme legte ihr den Säugling an die Brust. Marco überbrachte den Eltern und Schwiegereltern die glückliche Nachricht: „Mutter und Sohn geht es gut. Ihr dürft später gern vorbeikommen."

Elisa und Matthias trafen sich seltener, da jeder für seinen Schulabschluss lernen musste. Elisas Berufsziel war Tierärztin. Als eine der Klassenbesten wollte sie im Sommer zum Wirtschaftsgymnasium wechseln. Um in Englisch die Note eins zu halten, wiederholte sie Grammatik, vertiefte sich in Bücher und sah englische Spielfilme. Mit Miriam übte sie die Deutsch-Prüfungsaufsätze der letzten Jahre.

„Wählst du eine Gedichtinterpretation solltest du Stilmittel wie Alliteration, Enjambement etc. nennen können. Auch die eigene Meinung bei Gedicht- oder Textbeschreibung ist wichtig."

„Bei der Interpretation der Kurzgeschichte ‚die Tochter' von Peter Bichsel habe ich die Note 1-2 bekommen. – Ich büffle jetzt mit Matthias noch etwas Mathe."

„Sag ihm liebe Grüße! Er wird in den Abiturvorbereitungen stecken."

„Wir sehen uns fast nur noch zum Lernen. Doch vor dem Schlafengehen schickt er mir WhatsApp-Liebeserklärungen, zärtliche Bildchen und heitere Videos."

„Wie sieht es mit der bestimmten Frage aus? Hast du mit ihm darüber gesprochen?"

„Ja, wir werden noch warten. Er sagte, durch den Unfall habe er gelernt, wie schnell etwas passieren kann und wie wichtig wahre Freundschaft ist. Und er hofft, dass wir noch ein langes gemeinsames Leben vor uns haben."

Elisa läutete bei Hagens. Matthias saß am Schreibtisch und tüftelte an einer chemischen Formel. „Lass uns mit den Mathesachen ins Wohnzimmer gehen."
Frau Hagen stellte Kaffee und Kuchen auf den Tisch. Sie mochte die Freundin ihres Sohnes, die sich aufopfernd um Matthias gekümmert hatte. Sie setzte sich mit der Zeitung auf das Sofa. „Hast du Tamaras Baby schon gesehen?"
„Nein! Morgen kommen sie nach Hause. Da möchte ich sie besuchen."
„Hier steht: ‚Fit fürs Abi in fünf Tagen' mit Theateraufführungen und lyrischen Spaziergängen. Matthias, wäre das nichts für dich?"
„Habe ich es dir nicht erzählt? Alle Abiturklassen werden diese Veranstaltungen besuchen. Ich freue mich schon darauf."
„Bella habe ich länger nicht mehr gesehen."
„Sie hat seit einigen Tagen Magenbeschwerden."
„So ein Tier kann Krankheiten wie ein Erwachsener bekommen. Rikan, unser früherer Pudel, hatte Gelenkschmerzen."
„Mama, jetzt müssen wir lernen! Ich möchte heute zum ersten Mal wieder zum Basketballtraining."
Sie strich über seinen blonden Lockenkopf. „Dann lasse ich euch allein." Sie klemmte die Zeitung unter den Arm und trug das benutzte Geschirr zur Küche.

Tamara wurde nach drei Tagen mit dem Baby entlassen. Sie trug Felix vorn im Tragetuch, als die Verwandtschaft erschien. Die Burger-Kinder brachten kleine Präsente.
„Die Spieluhr haben dir unsere Eltern schon in der Klinik gegeben."
„Ich habe das Gefühl, dass die Melodie Felix gefällt!"
Richard kam mit Melissa vorbei. Verzückt betrachtete sie das Baby und streichelte seine Händchen. „Hier etwas zum Anziehen und Spielen von uns."
„Vielen Dank! Richard, du hattest dich einmal als Taufpate angeboten. Bleibt es dabei?"
„Kann ich gern machen."
„Im Gasthof Sonne ist der Nebenraum reserviert. Wir sind inzwischen zwanzig Leute."
„Ich werde nicht kommen! Ich mag keine Familienfeiern religiöser Art und bin aus der Kirche ausgetreten. Auch werde ich in eurer Familie nicht akzeptiert."
„Melissa, das stimmt doch nicht!", bemerkte Richard. Tamara wollte eine Diskussion vermeiden und schwieg. Irgendwie passte Melissa wirklich nicht zu ihnen. Das Baby begann zu weinen. Sie wickelte es und legte es in die Wiege. Carmen bot am Telefon ihre Hilfe an. „Ich melde mich, wenn ich dich brauche."
Tamara freute sich darauf, wieder in ihrem eigenen Bett zu schlafen. Felix würde sich nachts sicher bemerkbar machen.

Bei den seltenen Telefonaten mit Richard wich Miriam seinen Fragen aus und zeigte kein Interesse an einem Treffen. Er freute sich darauf, sie bei der Taufe seines Patenkindes zu sehen.
Melissa fragte beim Abendessen: „Schaust du heute mit mir ‚das Schlagerfestival von Florian Silbereisen'?"
„Du weißt, dass du mich mit Schlagern jagen kannst! Ich höre lieber klassische Musik."
Abends saß Melissa schmollend vor dem Fernseher und konnte die Unterhaltung nicht richtig genießen. Außer dem Beruf, Kegelabenden und der körperlichen Anziehung verbanden sie und Richard wenig. Wandern, Rad fahren, Museen besuchen und über Politik diskutieren waren nicht ihre Hobbys. Er machte Melissa Komplimente, wenn sie gut gestylt war. Doch ihre Bitte, sich chic zu kleiden, ignorierte er. Seine Jeans waren ausgebeult mit Handy, Geldbeutel und Schlüssel. Die kleine Herrentasche und der teure Rucksack, die sie ihm geschenkt hatte, lagen unbenutzt im Schrank.
Für ihn gab es Arbeiten für Frauen, die sich meist im Haus abspielten und Arbeiten für Männer. Für Terrasse, Garage und Keller fühlte er sich aber auch nicht verantwortlich, obwohl sie ihn um Hilfe gebeten hatte. Ständig fand er Ausreden und es kam zu Streitereien.

Felix Eduardo überstand die Taufe schlafend bis auf ein kurzes Geschrei, als der Pfarrer ihm das kalte Taufwasser über den Kopf goss.

Im Gasthaus Sonne standen Miriams und Richards Namenskärtchen einander gegenüber. Nach kurzem Befremden lächelten sie sich an und waren bald in eine angeregte Unterhaltung vertieft.
Elisa wiegte Felix im Arm oder schob den Kinderwagen hin und her. „Ich liebe Babys“, sagte sie zu Matthias. „Wir haben noch etwas Zeit!“, antwortete er schmunzelnd.
„Das ist mein Urenkel Felix Eduardo“, erzählte Hans jedem stolz, den er traf. „Ich lebe jetzt mit Lydia im Birkenhof. Es ist schön dort.“
„Birkenwald“, verbesserte seine Frau ihn immer wieder.
„Ich bringe die Eltern zurück ins Seniorenheim“, sagte Richard nach dem Kaffeetrinken. Er gab Miriam einen Kuss auf beide Wangen. „Ich hoffe, wir sehen uns bald wieder!“

Auf dem Wohnzimmersofa dachte Miriam über den vergangenen Tag nach.
Als Tamaras Patin freute sie sich über die gelungene Tauffeier. Den zweiten Namen Eduardo hatte der Kleine von Marcos spanischem Großvater bekommen. Wenn Miriam an den winzigen Säugling dachte, spürte sie innige Zärtlichkeit. Sie hatte ihre Mütterlichkeit bei Nichten, Neffen und den Schülern ausgelebt. – Heute unterhielt sie sich ausgezeichnet mit Richard. Ihr Herz klopfte immer noch, wenn sie ihm begegnete. Doch die ständigen Auseinandersetzungen und Machtkämpfe hatten

ihre Ehe belastet. Sie wünschte sich einen Mann, der sie begehrte, mit ihr lachte und viel gemeinsame Zeit verbrachte.

Richard glaubte, dass Miriam ihre Zuneigung oft durch schroffe Worte zu verbergen versuchte. Sabine war ihre Affäre mit Julian Wesel herausgerutscht und er hatte starke Eifersucht empfunden.
Sven bot ihm ein Gespräch in seiner psychologischen Praxis an. „Du bist dir nicht im Klaren, was du willst. Melissa begehrst du als attraktive jüngere Frau, erkennst aber immer mehr ihre Unzulänglichkeiten. Von Miriam hast du dich innerlich noch nicht gelöst. Sie ist eine lebensfrohe Frau mit sozialem Engagement und reizvollem Aussehen."
„Du schwärmst ja richtig von ihr!"
„Meine Lebenserfahrung zeigt mir, dass man so eine warmherzige Person nicht oft findet. Sicher hattet ihr auch glückliche Stunden, was man oft erst mit Abstand erkennt."
„Ich weiß, dass Miri eine tolle Frau ist. Ich mag sie noch sehr gern, doch wir haben uns auseinandergelebt. Vielleicht wäre sie mit dem Tänzer an Fasching zusammengekommen, wenn ich die Idylle nicht gestört hätte! Ich wünsche ihr, dass sie glücklich wird."

Miriam wollte ihren 53. Geburtstag am 4.4. nachmittags in Freiau feiern. Nach der Schule fand sie Geburtstagspost im Briefkasten. Sie bekam einen netten Brief von Julian, indem er betonte, wie glücklich er mit Lea war. Ihr Handy schrillte. Gertrud Lauer gratulierte ihr und begann von der Familie zu erzählen.
„Entschuldige, es hat geläutet. Und heute Mittag bin ich bei Jogis Familie."
„Dann rufe ich dich dort nochmal an."
Richard stand mit einem bunten Tulpenstrauß vor der Tür. „Für meine bezaubernde Frau", sagte er lächelnd. „Herzlichen Glückwunsch zum Geburtstag!"
Ihr Herz schlug wieder schneller. „Was soll das? Willst du mich hinter Melissas Rücken anbaggern?"
„So rüde Worte aus deinem Deutschlehrermund! Melissa und ich haben uns getrennt!"
Miriam war sprachlos. „Ihr habt kürzlich noch so verliebt gewirkt."
„Unverständnis und gegenseitige Vorwürfe hatten zugenommen. Schon in der Weihnachtszeit drohte sie nach einem Streit, dass ich ausziehen könnte. Nun ist alles schnell gegangen."
Seine Worte berührten Miriam mehr, als sie zugeben wollte. Mit Richard in Harmonie zu leben war wirklich nicht einfach. Immer musste alles diskutiert werden, anstatt sich einfach in den Arm zu nehmen. „Wo wirst du wohnen?"

„Ich komme vorläufig bei Sven Walter unter und beziehe Marcos Zimmer."
Miriam atmete auf. Dass er wieder in die gemeinsame Wohnung zurückwollte, war zunächst vom Tisch. Was die Zukunft brachte, würde man sehen.
„Eine gute Lösung! Notfalls hätten wir dich in Jogis Scheune untergebracht!" Sie lachte. „Setz dich kurz hin. Ich mache dir einen Kaffee. – Nachher feiere ich mit meinem Bruder und Familie in Freiau, aber ohne dich!"
Richards Besuch hatte sie aus dem Gleichgewicht gebracht. Sie machte sich im Bad etwas frisch. Dann legte sie Kekse auf einen Teller, richtete seinen Kaffee, für sich ein Apfelschorle und brachte alles auf einem Tablett ins Wohnzimmer.

Daniel kam mit einem roten Seat angefahren. Er öffnete einem zierlichen Mädchen die Beifahrertür. Nachdem er Miriam umarmt hatte, rief er freudig: „Leute, ihr dürft mir gratulieren! Ich habe meine Ausbildung als Landschaftsgärtner mit Auszeichnung abgeschlossen! Und das ist meine Freundin Anna-Sofia."
Elisa sah ihn herausfordernd an. „Na, wieder eine neue Flamme?"
Das Mädchen nahm es mit Humor. „Ich hoffe, dass das Feuer lange brennt. – Herzlichen Glückwunsch zum Geburtstag!" Sie überreichte Miriam einen Blumenstrauß,

an dem ein Einkaufsgutschein hing. „Von mir und Dani. Entschuldigen Sie, mein Freund hat mich einfach mitgebracht.“

„Die Freunde meiner Nichten und Neffen sind herzlich willkommen.“ Miriam betrachtete das hübsche Gesicht, um das sich braune Locken kräuselten. Die sportliche Figur steckte in Jeans, gelbem Pulli und bunten Turnschuhen.

Daniel fasste sie am Arm. „Anna, ich zeige dir unser Anwesen.“

Joachim versorgte gerade einige Gartengeräte. „Papa, das ist Anna-Sofia. Wir gehen zu den Tieren.“

„Freut mich sehr! Ich springe schnell unter die Dusche, um den Stallgeruch loszuwerden.“

Als er bald darauf mit sauberen Sportklamotten in der Küche erschien, sagte Margot: „Anna-Sofia hat eine sympathische Ausstrahlung!“

„Ich habe den gleichen Eindruck!“

Beim Kaffeetrinken schob Daniel seiner Freundin den Stuhl zurecht. „Ich habe sie beim Naturschutzverein kennengelernt. Sie studiert an der Pädagogischen Hochschule Mathe und Biologie. – Übrigens, das ist mein Zwillingsbruder David. Ein Theologiestudent, der Pfarrer werden will.“

„Sehr angenehm!“ Anna-Sofia gab ihm die Hand. „Ihr seht euch kaum ähnlich!“

„Wir sind auch zweieiig.“

„Daniel hat die Trennung von Astrid schnell überwunden“, sagte David zu seiner Mutter. „Dieses Mal hat er eine gute Wahl getroffen.“
„Ja! Anna-Sofia ist ein liebenswertes Mädchen!“ Lächelnd beobachtete sie, wie Daniel ihr einen zärtlichen Kuss auf die Stirn gab.
Joachim lief mit zwei Sektgläsern auf Miriam zu. „Darf ich mit dir anstoßen? Ich weiß, du trinkst nicht viel. Doch das Glas ist nur halbvoll.“ Das Kristall klirrte. „Auf die Gesundheit und noch viele glückliche Jahre!“
„Richard stand heute Morgen mit einem Blumenstrauß vor der Tür. Er hat sich von Melissa getrennt!“
Jetzt verstummte die Unterhaltung. Alle sahen Miriam überrascht an. „Er kann vorläufig bei Walters unterkommen. Doch lassen wir das Thema! Ich muss alles erst verarbeiten.“
David nickte. „Miri, lass dir Zeit und höre auf dein Herz! Ich werde dich in mein Gebet einschließen.“

Abends feierte sie mit Babsy bei Tamara zuhause. Felix war gerade eingeschlafen. Sabine hatte Pizza bestellt. „Richard ist ja wieder solo. Er möchte in den Osterferien gern mit dir etwas unternehmen.“
„Dein Bruder kann mich selbst fragen! Doch ich bin die nächsten Tage verplant!“
„Miri hat mir von ihrem Mammutprogramm erzählt. Morgen fahren wir mit den Mädchen in den Zoo. Dann plant sie Krankenbesuche, Korrekturen und nächste

Woche ist der Frauen-Ausflug nach Breisach."
„Und Onkel Erich, der nach einem Sturz in der Kurzzeitpflege ist, sollte ich auch besuchen. Sabine, ich kann verstehen, dass du auf eine Versöhnung mit Richard hoffst. Doch mische dich bitte nicht in meine Entscheidungen ein."
Tamara nickte. „Das fällt Mama leider immer schwer!"

Die Mädchen rannten so schnell zum Zooeingang, dass Miri und Babsy kaum nachkamen. „Oh, heute bietet Sibylle Neumann hier Ponyreiten an." Miriam winkte der jungen Frau fröhlich zu. „Sie hat in Freiau einen Ponyhof ins Leben gerufen. Da sollten wir mit den Mädchen hingehen. Sie ist tiermedizinische Fachangestellte, hätte aber das Talent zur Tierärztin gehabt. Sie war eine der besten Schülerinnen von Richard." Die Kinder stellten sich aufgeregt in die Warteschlange.
Nach dem Reiten besuchten sie das Affengehege, wo die beiden eine Weile stehen blieben. Dann nahm Kornelia Miris Hand und zog sie weiter zu den Giraffen.

Auf dem Heimweg fragte Miriam: „Glaubst du, dass wir es noch einmal versuchen sollten?"
„Schwer zu sagen! Wenn es für dich okay ist, lade ich Richard zu unserer Hochzeit ein. Vielleicht leben eure Gefühle wieder auf."

„Wenn ich dich nicht als Freundin hätte! Hauptsache, du wirst mit Alois glücklich."
„Du weißt, dass dein Glück mir auch am Herzen liegt! Nach unserer Hochzeitsreise nach Kreta machen wir wieder einen Mädelsabend mit Film, Popcorn und langen Gesprächen."
„Bin ich auch zum Mädelsabend eingeladen?", ertönte Katrins Stimmchen vom Rücksitz.

Sie brachten die Kinder nach Hause. Miriam fuhr anschließend bei Tamara vorbei. Sabine öffnete die Wohnungstür. „Komm herein! Ich räume gerade die Küche auf."
Tamara saß im Sessel und las entspannt eine Zeitschrift. Das Baby schien zu schlafen. Miriam umarmte sie. „Wie geht es dir?"
„Prima! Die Helfer rennen mir die Bude ein! Bei dem Angebot könnte ich Drillinge versorgen! Wie war es mit den Kleinen im Zoo?"
„Schön, aber anstrengend! Favoriten waren die Affen und Giraffen. Sie durften mit Sibylle Neumann eine Runde Ponyreiten. Und sie erzählten, dass sie mit Papa und Heidi in den Sommerferien nach Österreich fahren."
„Die beiden scheinen sich verliebt zu haben. Sie sind ein schönes Paar."
„Willst du etwas essen?", rief Sabine aus der Küche. „Nein danke! Ich habe noch Kartoffeln und Gemüse von

gestern."
Plötzlich polterte es laut und man hörte das Baby weinen.
„Tut mir leid! Beim Einräumen der Töpfe sind zwei Deckel heruntergefallen."
„Mama, kein Problem! Felix wäre sowieso aufgewacht. Er hat jetzt Hunger."
„Noch ein kurzer Blick auf deinen Süßen und dann gehe ich."
„Mama hat ihre Staffelei in mein Mädchenzimmer gestellt. Es ist ein ziemliches Durcheinander."
„Ich komme morgen mit Babsy zum Aufräumen vorbei. Bleib du mit Felix Eduardo in deiner Wohnung. Es kann eine staubige Angelegenheit werden!"
Mit Bernds Hilfe wurden am Nachmittag die Zimmermöbel zusammengeschoben. Es wurde geputzt, gesaugt und manche Spinnwebe beseitigt. Dann halfen sie Sabine in der Küche, wo genügend Arbeit wartete.
Barbara wischte sich den Schweiß von der Stirn. „Miri, hier war das Saubermachen wirklich dringlicher als bei dir!"

Abends rief Richard an. „Sabine sagte mir, wie fleißig du bist: Schwiegereltern besucht, gestern mit den Mädchen im Zoo und heute Tamaras Zimmer in ein Atelier verwandelt. Hättest du die nächsten Tage auch einmal Zeit für mich?"

„Über die Ostertage helfe ich in der Kirche, mache Krankenbesuche und am Mittwoch findet unser Jahresausflug nach Breisach statt.“
„Immer noch soziales Engagement und Einsatz für den Nächsten! Ich liebe diese Selbstlosigkeit an dir, die ich von zuhause nicht kenne.“
„Sabine ist auch hilfsbereit und hat ihre Tochter zur Achtsamkeit gegenüber Mensch und Natur erzogen.“
„Die Künstler mit ihrem eigenen Weltbild! Oft gibt es Neid und Konkurrenzdenken.“
„Deine Schwester und der Kulturkreis von Polo sind anders. Sie gönnen einander den Erfolg.“
„Nun, hast du in den Ferien ein Stündchen Zeit?“
„Ich überlege es mir. Ich melde mich nach den Ostertagen.“
„Ich würde mich sehr freuen, etwas von dir zu hören.“

27. Ostertage

Richard nahm einige Gesprächstermine bei Sven wahr um die Trennung von Melissa zu verarbeiten und seine langjährige Ehe mit Miriam zu reflektieren.

Sven räusperte sich. „Im Wesen sind die Frauen grundverschieden. Miriam ist ständig auf Achse für die Mitmenschen und hat eine positive Ausstrahlung. Melissa scheint mehr auf der Suche nach dem eigenen Vorteil. Sie will etwas erleben und die Rolle des Hausmütterchens ist für sie undenkbar. Habe ich recht?"

„Schon. Aber Miriam ist auch nicht die geborene Hausfrau. Doch sie brachte immer etwas auf den Tisch und es gab einen Vorrat an Lebensmitteln. Mit Melissa bin ich oft essen gegangen, denn meist war der Kühlschrank leer."

„Du benimmst dich wie ein Pascha! Warum hast du nicht eingekauft? – Carmen und ich teilen uns die Hausarbeit. Wir sprechen die Einkäufe ab und räumen gemeinsam die Wohnung auf. Danach haben wir Zeit füreinander. Und regelmäßige Gespräche sind sehr wichtig."

„Miri und ich haben uns oft in Rage geredet und mit Melissa war es am Schluss nicht besser. Niemand hat dem anderen richtig zugehört."

In dem Buch ‚Momo' von Michael Ende schafft es ein kleines Mädchen durch Zuhören Situationen zu verändern und Streit zu schlichten."

„Das war früher Miriams Lieblingsbuch. – Ob wir beide noch eine Chance haben, weiß ich nicht. Sie hat im Moment keine Lust, mich zu treffen."
„Lass ihr Zeit! Lerne auf ihre Wünsche einzugehen. Oft kann man dem Partner mit Kleinigkeiten eine Freude bereiten. Seit ich das erkannt habe, sind Carmen und ich uns nähergekommen."
„Miriam sagte oft: Ich möchte nicht diskutieren, sondern einfach mit dir sprechen. Meistens habe ich ihre guten Ideen ignoriert."
„Erkenntnis ist ein Schritt zur Veränderung! Vielleicht könnt ihr einmal zu einer gemeinsamen Eheberatung kommen?"
„Momentan weicht sie mir aus. Doch ich glaube, dass sie mich noch liebt."
„Liebe kann verschüttet sein! Dann muss man sie mühsam wieder zu Tage befördern."

Miriam hatte bei Polo auch einen Gedichtband herausgegeben. Sie schenkte Pfarrer Stoll zwei Tage vor Ostern ein Exemplar.
Am nächsten Tag rief er sie an. „Frau Schuhmann, das Ostergedicht ‚Auferstehung' hat mir gut gefallen und ich würde es gern in den Gottesdienst einbauen."
Nach der Kommunion verkündete Pfarrer Stoll: „Unsere Lektorin Miriam Schuhmann wird jetzt ein eigenes Gedicht vortragen."

Auferstehung

Auferstehung in der Natur
im täglichen Sonnenaufgang
im farbenprächtigen Abendhimmel
in lichtdurchfluteten Landschaften
im Wunder der Pflanzen- und Tierwelt

Auferstehung im Herzen
beim Ausbrechen aus dem Alltagstrott
beim Lächeln auf leidenden Gesichtern
beim Vergeben von erlittenem Unrecht
beim Sieg der Liebe über den Hass

Auferstehung im Tod
Glaube an ein ewiges Leben
Abstreifen der schweren Körperhülle
Begegnung mit dem Lichtwesen
Eingehen in die vollkommene Freude

Zum Auszug spielte der Organist eine Orgelfanfare. Die Gottesdienstbesucher bedankten sich mit Applaus.

Beim Ausflug nach Breisach strahlte die Frühlingssonne vom Himmel. Hilfsbereite Hände halfen Frau Ulrich beim Ein- und Aussteigen in den Rollstuhl.
Heidi Roser hatte sich den Tag freigenommen. Sie fuhr

die Seniorin mit dem Auto durch ihre Heimatstadt und brachte sie wieder zum gemeinsamen Essen ins Restaurant am Rheinufer.
Auf der Heimfahrt wurden aus einem Liederheft bekannte Melodien gesungen. „Am Brunnen vor dem Tore…“ schallte es durch den Bus und Frau Ulrich sang begeistert mit. „Frau Schuhmann, Sie haben mir heute einen unvergesslichen Tag geschenkt. Und ich durfte mit der Gruppe sogar eine Andacht im Münster erleben.“
Wie einfach ist es, Menschen eine Freude zu machen, dachte Miriam.

Am Ende der Osterferien verabredete sie sich mit Richard. Nach vielen gemeinsamen Ehejahren könnten sie zumindest Freunde bleiben.
Sie besuchten eine Gemäldeausstellung. „Sehr beeindruckend! Unterschiedliche Bilder zu einem Thema! – Übrigens Barbara und Alois haben mich am 5.5. zu ihrer Hochzeit eingeladen. Ist das okay für dich?“
„Warum nicht? Du kennst Babsy auch seit zehn Jahren. Und in letzter Zeit haben wir beide einige Familienfeste zusammen gemeistert. Das dürfte kein Problem sein!“
Sie bummelten durch die Stadt und setzten sich in ein gemütliches Café. Richard erzählte von seinen Psychologiestunden bei Sven. „Ich habe erkannt, dass ich dich in unserer Ehe vernachlässigt habe. Ich kann mich nicht um 180 Grad drehen, aber mehr Aufmerksamkeit und

Zeit könnte ich dir schenken."
In Miriams Kopf kreiste ein Gedankenkarussell. Wollte Richard sie um einen Neuanfang bitten?
„Lass uns bei Sven eine Eheberatung machen! Wir könnten einiges aufarbeiten. Vielleicht haben wir noch eine Chance."
„Ich denke darüber nach!"

Am nächsten Tag fuhr Miriam nach Freiau.
Die blauen Traubenhyazinthen, die Jogi auf der Terrasse in Kübeln und Beeten gepflanzt hatte, begannen zu blühen und verströmten einen feinen Honigduft.
Ihr Bruder belehrte sie: „Die Pflanzen gehören zur Familie der Spargelgewächse. Sie heißen auch Bauernbübchen oder Bergmännchen. Außer der schopfigen Traubenhyazinthe gelten die Sorten als giftig."
„Du hast die Hyazinthen wunderbar mit bunten Tulpen kombiniert."
„Danke! Die sogenannten Frühlingstrauben haben es mir besonders angetan. Es gibt auch weiße Blütentürmchen mit dem Beinamen Feder."
„Jetzt weiß ich genug über die Traubenhyazinthen!" Sie betrachtete noch einmal das Bild im Flur und dachte an ihre Mutter Hanna, die vor einem Jahr gestorben war. „Der Mensch denkt und Gott lenkt", war einer ihrer Lieblingssätze.

Zuhause verfasste Miriam ein Gedicht.

Gebet

Nimm mir die Angst, die mein Leben lähmt.
Vertreib die Furcht vor Leid und Versagen.
Schenk mir stets neue Zuversicht,
dass du immer bei mir bist,

dass ich nicht ins Leere fallen kann,
weil du mich auffangen wirst.
Vertreib die Furcht vor dem, was kommt.
Nimm mir die Angst, die mein Leben lähmt.

Das könnte sie nächste Woche bei Polomskis Künstlertreff vorlesen. Der Kulturverein ‚die Lebenskünstler' orientierte sich an christlich-humanistischen Werten.

28. Zukunftsgedanken

Nach einem Spaziergang ließ sich Miriam auf einer Parkbank nieder und beobachtete die Vorbeilaufenden. Sie sah Mütter mit ihren Kindern und ältere Pärchen, die Hand in Hand durch den Park bummelten.
Sie hatte die fünfzig überschritten und ihre Nichten und Neffen waren erwachsen geworden.

Elisa würde am siebzehnten Geburtstag ihr Moped Race Blue bekommen, auf das sie lange gespart hatte. In drei Jahren wollte sie das Studium der Tiermedizin aufnehmen. Matthias leistete nach dem Abitur zuerst ein soziales Jahr bei der Lebenshilfe ab. Sein Berufsziel war Ingenieur. David studierte noch einige Jahre Theologie und Daniel würde bald als Landschaftsgärtner eine Stelle bekommen.
Tamara wollte nach der Elternzeit als Kunstlehrerin an der Berufsschule arbeiten und Sabine nach den Pfingstferien an der Volkshochschule Malkurse geben.
Sie und Richard würden noch viele Jahre den Lehrerberuf ausüben und interessante, aber auch anstrengende Schulstunden erleben.
In wenigen Tagen heirateten Barbara und Alois. Ihre Freundin hatte sie gebeten das Gedicht ‚Weltreligionen' vorzulesen. Es würde gut zum Friedenslied am Schluss passen.

Die Glocken der altkatholischen Kirche läuteten und vor dem Gotteshaus versammelten sich festlich gekleidete Menschen. Die Braut erschien in einem beigen spitzenbesetzten Hochzeitskleid mit tiefem Rückenausschnitt, über dem sie eine weiße Stola trug. In ihrem blonden Haar leuchtete ein bunter Blütenkranz. Strahlend lief sie Alois entgegen, der im dunkelblauen Anzug mit weißem Hemd und blauer Fliege sehr elegant wirkte.
Als Evangelium hatten sie *das Hohelied der Liebe* aus dem 13. Kapitel des ersten Korintherbriefs ausgewählt. Pfarrer Alt baute seine Predigt auf dieser Bibelstelle auf.

„Wir haben gehört: *Wenn ich mit Menschen- und mit Engelszungen redete und hätte die Liebe nicht, so wäre ich ein tönendes Erz oder eine klingende Schelle....... Nun aber bleiben Glaube, Hoffnung, Liebe, diese drei, aber die Liebe ist die größte unter ihnen...*
Unser Augenmerk sollte nicht auf Egoismus, Hass und Vergeltung gerichtet sein, sondern auf die Liebe. Vergessen Sie diese Worte nie!", mahnte der Pfarrer. „In einer guten Ehe bringt man sich gegenseitig zum Leuchten. Denken Sie in schwierigen Zeiten an den Spruch: Man liebt trotzdem, aber nicht weil..."

Nach dem Jawort, das man hinten in der Kirche hören konnte, steckten Barbara und Alois einander die Ringe an mit den Worten: „Im Namen des Vaters, des Sohnes und des Heiligen Geistes."

„Ich wünsche Ihnen nun für Ihr Eheleben Gottes reichen Segen.“

Miriam trat an das Mikrofon und las ihr Gedicht:

Weltreligionen

Jeder Mensch in jeder Kultur
Sucht nach dem Sinn des Lebens
Fragt nach der Wahrheit des Seins
Sehnt sich nach Transzendenz und
Ist auf ihn Übersteigendes angelegt

Christentum, Islam und Judentum
Buddhismus, Hinduismus und Bahai
Traditionen und Bräuche in
Einer geheimnisvollen Welt
Hoffnung auf seelische Befreiung
Und Erlösung aus dem Erdenleib

Durch gemeinsames Menschsein
Können Vorurteile schwinden
Wird Freiraum geschaffen
Für den Weg der göttlichen Liebe
Knüpft zusammen Friedensnetze
Völker und Religionen dieser Welt

Nun stimmte der Organist das Friedenslied an:

Hevenu shalom alechem...
Wir wollen Frieden für alle...
Frieden auf der Welt...

Als das Brautpaar aus der Kirche auszog, streuten Katarina und Kornelia bunte Blütenblätter aus ihren Körbchen. Kollegen und Freunde von Alois standen Spalier und ließen die beiden ein dickes rotes Band durchschneiden.
Barbara warf ihren Brautstrauß weit nach hinten und Heidi fing ihn auf.
„Na, schau mal an!", sagte Fred und zwinkerte ihr zu.

Im Restaurant Blume fand Miriam ihr Namensschild neben Richard und gegenüber von Alfred und Heidi. Die Tanzkapelle spielte einen Foxtrott und Alfred forderte seine Freundin auf. Sie trug ein langes blaues Kleid und hatte ihre rotblonden Haare hochgesteckt.
Miriam beschäftigte die Mädchen mit dem Spiel: *Rate, rate, was ist das*?
Als ihr Vater und Heidi sich wieder zu ihnen setzten, fragte Katrin: „Möchtest du unsere neue Mama werden?"
Heidi lächelte sie an. „Wir werden sehen, was die Zukunft bringt. Euer Papa und ich wollen uns besser kennenlernen."
„Deshalb machen wir bald zusammen Urlaub!"

„Ja, Katrin, weil wir gern Zeit miteinander verbringen. Doch ihr wisst, dass ich in Breisach als Goldschmiedin arbeite."
„Vielleicht braucht man den Beruf auch in Schwarzach."

Tamara hatte den Kinderwagen Richtung Ausgang gestellt, in dem der zwei Monate alte Felix Eduardo selig schlummerte. Weinte er, war er sofort Mittelpunkt der Hochzeitsgesellschaft. Eltern und Großeltern trugen ihn stolz herum und wurden von den Anwesenden gebührend bestaunt.
Miriam hatte eine Diashow mit Kinderbildern von Babsy und Alois vorbereitet und die beiden bedankten sich überschwänglich.
Max war mit seiner Freundin Gisela angereist. Er freute sich, den Hochzeitstag seiner Mutter mitfeiern zu können. Sein persönliches Gedicht über ihr glückliches Wiedersehen rührte Barbara zu Tränen. Sie umarmte ihn unter großem Beifall. Jetzt wussten alle, dass die Braut auch Mutter war.
Elisa betrachtete gerührt den kleinen Felix. „Ich komme bald mit meinem neuen Moped und hole dich zum Spazierengehen ab."

Beim traditionellen Hochzeitswalzer schwebte ein Paar nach dem anderen über die Tanzfläche.
Richard im grauen Anzug machte vor Miriam eine Ver-

beugung. „Liebe Tischdame im hübschen gelben Abendkleid! Darf ich dich zum Tanzen auffordern?“
„Okay, ich nehme das Angebot an!“
Als die beiden atemlos zum Platz zurückkehrten, sagte Miriam: „Du hast am Bauch abgenommen!“
„Die Anzugshose zwickte und ich weiß, dass du auf schlankere Männer stehst!“
Unwillkürlich fuhr sie ihm über die blonden Stoppelhaare. „Schön, dass du mir auch einmal gefallen willst!“
Richard fasste ihre Hand und sah sie verliebt an. „Ich vermisse dich so sehr! Können wir noch einmal neu beginnen?“
Miriam hörte Alarmglocken läuten. Was sie aneinander gestört hatte, war nicht plötzlich verschwunden. Beim Eheversprechen von Barbara und Alois dachte sie daran, dass jede zweite bis dritte Ehe scheiterte. Sollten sie einen zweiten Versuch wagen oder endgültig auseinandergehen? Würden die Menschen sich ändern oder konnte man es nur selbst tun?
Richard umarmte Miriam vor der Haustür und sah sie fragend an.
„Lass mir bitte noch Zeit!“
„Ich werde dich nicht bedrängen.“

Trotz einer großen Tasse Baldriantee grübelte Miriam bis in die Morgenstunden. Bei einem Neuanfang sollte sie Richard das Verhältnis mit Melissa verzeihen und es ihm nicht vorhalten. Sie selbst hatte mit Julian erlebt,

wie schnell eine Affäre entstehen konnte. Besonders, wenn man sich einsam und ungeliebt fühlte! Aber eine so lange Beziehung wie mit Richard würde es nicht mehr geben. Früher waren sie durch dick und dünn gegangen. Doch das Glück war flüchtig. Konnte sie bei ihm die Geborgenheit und Beachtung finden, die sie so brauchte? Oder waren es nur Wunschträume?
Auch Richard konnte nicht einschlafen. Er dachte an seine gemeinsame Zeit mit Melissa, die man öfters mit einem jungen Kollegen in der Stadt sah. Sein Trennungsschmerz war fast verklungen. Die Gedanken kreisten jetzt um Miriam, mit der er die Zukunft verbringen wollte.

Sie willigte in eine Therapiestunde bei Sven ein. Er empfing sie in einem gemütlich eingerichteten Gesprächsraum.
Nachdem jeder seine Sicht über die letzten Ehejahre geschildert hatte, gab Sven ihnen den Rat: „Lasst die Vergangenheit ruhen und gebt der Zukunft Raum! Macht euch gegenseitig keine Vorwürfe. Kritik hat es in den letzten Jahren genug gegeben."
Miriam hörte aufmerksam zu. „Ja, das Leben ist zu kostbar, um es mit Streiten zu vergeuden."
„Je mehr Wärme und Aufmerksamkeit ihr euch schenkt, um so glücklicher werdet ihr sein. Doch erwartet von eurem Partner nicht zu viel, was er nicht leisten kann. Denkt daran: *Das Glück besteht in Augenblicken*."

„Vielen Dank, Sven“, sagte Miriam. „Ich werde wiederkommen.“
„Das freut mich. Was sagte Pfarrer Alt? Man liebt trotzdem, aber nicht weil...“

„Wollen wir zusammen nun Kaffeetrinken, vielleicht bei dir?“, fragte Richard, als er seine Frau nach Hause fuhr.
„Okay, ich habe noch Kekse vorrätig.“
Richard betrat den Hausgang. „Ich habe unsere Wohnung sehr vermisst.“
Sie sah ihn enttäuscht an. „Nur die Wohnung?“
„Miri, sei nicht gleich beleidigt! Natürlich sehne ich mich nach dir. Ich will dich nicht verlieren und gern wieder mit dir zusammenleben. Ich liebe dich!“
Ihr Herz raste. Doch sie versuchte, seinem Blick standzuhalten.
„Ich habe Angst, dass Missverständnisse und Machtkämpfe eine neue Beziehung wieder zerstören würden. Du bist mir wirklich nicht gleichgültig! Aber wir müssten Kompromisse eingehen, die Haushaltsaufgaben gerecht verteilen und mehr gemeinsam unternehmen.“
„Das ließe sich regeln! Wenn wir alle Tipps zur Liebe beachten, wie den Partner zum Leuchten bringen und der Zukunft Raum geben ..., werden wir ein Traumpaar!“ Er küsste sie zärtlich auf Gesicht und Nacken und sie lachte befreit auf.
„Mit Svens und Gottes Hilfe könnte es uns gelingen!“

Sie hielten sich still umschlungen. Es war kein feindseliges Schweigen wie in der Vergangenheit, sondern sie spürten eine tiefe heilsame Liebe.
Das Glück besteht in Augenblicken, dachte Miriam. Und einen davon erlebe ich gerade!

Die schlummernden Frühlingstrauben sehnten sich danach, ihre Blüten zu entfalten und den Duft zu verströmen.

29. Nachwort

In diesen Tagen herrschten wieder Kriege auf der Erde. Unzählige Zeitgenossen mussten ihr Leben lassen.
Auch reiste ein seltsamer Virus mit dem Namen Corona um die Welt. Er brachte die Covid-19-Erkrankung mit vielen Einschränkungen, Krankheit und Tod.
Die Menschen lebten zurückgezogen. Sie begegneten einander mit Argwohn und Angst, verarmten und vereinsamten. Auf Anordnung der Regierung versteckten sie ihr Gesicht hinter Masken, um eine Ansteckung zu verhindern.
Alle wünschten sich wieder ein freies Leben. Sie wollten Kontakte pflegen, sich umarmen, Sport treiben, kulturelle Veranstaltungen besuchen und einen unbeschwerten Urlaub genießen.

Es war eine Zeit, die niemand erwartet hatte und sich niemand hätte vorstellen können.
Die Wissenschaftler forschten und entwickelten Impfstoffe. Die akute Krise konnte mit der Zeit gemeistert werden. Doch die Krankheit wurde nicht endgültig besiegt.

Der Kreislauf des Lebens wird weitergehen. Immer wieder gibt es neue Bedrohungen für unsere Gesundheit und den Frieden auf der Welt. Schauen wir trotzdem hoffnungsvoll in die Zukunft. Seien wir dankbar für viele geschenkte Glücksmomente in unserem Leben.

Ich danke herzlich

Gisela Hertel und Eva Beile für das Durchlesen und Besprechen des Manuskriptes,
Robert Steinseufzer für die Überlassung eines Arbeitsplatzes mit großem Schreibtisch und die Hilfe am Computer. Ebenso allen Freunden, die nach Jahren auf eine Fertigstellung des Romans vertrauten und sich mit mir darüber freuten.

Marianne Spettnagel, alias Marianna Freudenherz

Buchangaben:

Andrea Kettenmann: Frida Kahlo Taschen 2009

Khalil Gibran: der Prophet dtv 2005

Sonya Kraus: Wenn das Leben dir eine Zitrone gibt
Bastei Lübbe 2011

Luca Di Fulvio: Das Kind, das nachts die Sonne fand
Bastei Lübbe 2015